UNE VALSE
DANS LA NUIT

Déjà parus
dans la collection « Turquoise »

CÉCILE BEAUREGARD

UNE VALSE
DANS LA NUIT

PRESSES DE LA CITÉ

9797 rue Tolhurst, Montréal H3L 2Z7 - Tél.: 387-7316

© *Presses de la Cité 1980*

ISBN 2-89116-015-0

1

La main de Marine effleura le clavier du piano, comme pour une caresse. Puis, avec infiniment de douceur, elle posa sur les touches d'ivoire le vieux dessus de clavier rose, brodé de roses par quelque arrière-grand-mère. Enfin, elle referma, lentement, le plus doucement qu'elle put, le couvercle du piano.

C'était les gestes que depuis des années elle faisait chaque fois qu'elle achevait de jouer un morceau.

Seulement, cette fois-ci n'était pas comme les autres. D'habitude, c'était un au revoir. Aujourd'hui, c'était un adieu.

Non. Il ne fallait pas qu'elle laisse couler ses larmes. Ses yeux sombres, d'un bleu de lac profond, par un suprême effort de volonté les retinrent. D'un geste habituel, la jeune fille passa dans ses longs cheveux noirs une main fine aux doigts effilés... une main de pianiste.

Celle qu'elle ne serait jamais... elle ne se faisait plus d'illusions ! Certes, elle jouait fort bien, mais il lui manquait cette étincelle qui fait les grands artistes.

Elle prit un disque : les *Valses* de Chopin interprétées par Jean de Seize, le plus grand des virtuoses français... son idole. Et puis, elle haussa les épaules. Il était inutile qu'elle le mette sur le pick-up pour voir la différence entre la même valse interprétée par elle — celle qu'elle venait de se jouer une dernière fois — et jouée par le génial pianiste ! Elle ne la connaissait que trop.

Non. Il lui fallait maintenant être raisonnable ; voir la vie sous un autre angle.

Elle pensa qu'en cette claire journée de juin elle avait tout perdu : son piano, sa mère, la vie qu'elle avait menée jusqu'à ce jour dans cet appartement aux meubles anciens, aux bois chauds, aux couleurs gaies. En fait, c'était à tout cela aussi qu'il lui fallait dire adieu.

Elle se rebella contre son pessimisme :

« *Je suis vraiment une égoïste, pensa-t-elle... Je devrais me réjouir au contraire du bonheur de maman... Elle semblait si heureuse ce matin ! A trente-neuf ans, elle a quand même le droit de refaire sa vie...* »

Élaine, la mère de Marine, était veuve depuis dix ans. Elle avait consacré toutes ces années à sa fille, qu'elle adorait. Mais depuis deux ans, dans l'ombre, un homme attendait patiemment qu'elle veuille bien de lui... Un homme qu'elle aimait, mais elle ne voulait pas d'un beau-père pour sa fille tant que celle-ci était trop jeune pour admettre, comprendre, et l'accepter dans la maison.

C'était Marine qui, ayant deviné le sacrifice de sa mère, le jour de ses dix-neuf ans, lui avait donné l' « autorisation » de se remarier.

« Je suis une grande fille maintenant, lui avait-elle dit. Certes, les années que j'ai passées avec toi, cette

8

affection constante que nous avons eue l'une pour l'autre, rien ne peut les remplacer... mais tu es si jeune, maman, si belle, tu as droit à ta vie de femme. Je sais que tu aimes Charles, et qu'il t'aime... Il faut vous marier. »

Le mariage avait eu lieu ce matin même. Radieuse, en embrassant sa fille, Élaine lui avait chuchoté « merci », et ce seul mot avait payé Marine du sacrifice qu'elle avait fait. Un sacrifice beaucoup plus grand encore que ne le croyait sa mère, car, raisonnablement, la jeune fille avait décidé de ne pas vivre avec le nouveau couple. Elle se rendait très bien compte que la jeune fille qu'elle était serait gênée, et gênante.

— Je prendrai, pour quelques mois, une situation en province, avait-elle dit simplement, se gardant bien de parler de l'avenir. Ensuite, on verra. D'ailleurs, avait-elle ajouté en riant, tu m'as beaucoup trop élevée dans tes jupes ; cela me fera le plus grand bien de me débrouiller toute seule !

Hésitante d'abord, sa mère avait fini par acquiescer ; elle comprenait que, pour elles deux, cela valait mieux. Mais pour Élaine cette décision n'était que temporaire alors que, pour Marine, elle était aussi définitive que sa résolution de n'être pas une pianiste. Certes, la jeune fille aurait pu faire un excellent professeur, mais cette carrière ne la tentait pas. Marine aimait trop la musique, elle l'avait placée trop haut, pour se contenter d'être une enseignante apprenant des gammes à des enfants.

C'est pourquoi maintenant, penchée sur les petites annonces, elle cherchait ce qui pouvait lui convenir.

Sa mère et son beau-père étaient immédiatement partis en Italie pour leur voyage de noces : elle voulait que lorsqu'ils rentreraient, dans trois semaines, elle-même eût quitté l'appartement où, dorénavant, ils allaient vivre.

Une fois de plus, elle se demanda ce que, hors son baccalauréat et ses études de pianiste, elle avait comme bagage. Prudente, sa mère, à tout hasard, lui avait fait prendre des cours de dactylographie et de sténographie. En outre, sa famille paternelle étant canadienne, elle parlait avec autant de facilité l'anglais que le français. Cela devait lui permettre de trouver une place de secrétaire ou de vendeuse.

Elle s'aperçut que, sans s'en rendre compte, elle tenait toujours entre les mains le disque des *Valses* de Chopin.

Sur la pochette, il y avait la photo de Jean de Seize au piano : des mains longues et puissantes qui couvraient facilement deux octaves ; un profil altier, presque sévère, et, pourtant, d'un charme extraordinaire. Quand elle était enfant, le seul cadeau qu'elle demandait à sa mère, c'était qu'elle l'emmenât à ses récitals quand il en donnait à Paris. Et Élaine la faisait rougir, parce qu'elle disait, pour taquiner la petite fille :

— Mais tu en es amoureuse !

Marine pensa que le pianiste ne devait guère avoir plus de trente-cinq ans : elle avait tellement rêvé de le rencontrer un jour... elle, pianiste débutante ; lui, maître consacré. Elle soupira : l'âge des rêves était passé.

Résolument, elle prit le journal, et, tournant le dos au piano, se plongea dans la lecture des offres d'emploi.

Aucune ne la tentait. Surtout quand il s'agissait de places en province ; c'étaient toujours de grosses usines, cherchant du personnel technique, ou, tout au moins « qualifié », en des domaines qu'elle ignorait totalement.

Subitement, quatre lignes dans *Le Figaro* la firent sursauter : « *Secrétaire bilingue anglais-français entièrement libre pour 3 mois été Baléares — parfaite éducation exigée.* »

Cela lui convenait tout à fait. Il serait temps, en rentrant à Paris, de voir quelle décision prendre. De plus, le fait qu'une « parfaite éducation » était obligatoire prouvait que le demandeur exerçait une profession libérale : avocat ou médecin sans doute. Un commerçant réclamerait plutôt une orthographe impeccable qu'un savoir-vivre parfait. Ce serait quand même plus intéressant que de taper des factures...

Et puis, l'été aux Baléares, cela ressemblait à des vacances et la dépayserait. Elle en avait besoin pour oublier sa tristesse. Elle relut une deuxième fois l'annonce : elle correspondait exactement à ses connaissances, il n'y avait pas à hésiter.

Dans l'avion qui l'emmenait vers Palma, Marine se demandait si ce voyage était bien réel. C'était le 1er juillet. Quinze jours seulement s'étaient écoulés depuis qu'elle avait écrit à l'adresse indiquée dans le journal. Par retour du courrier, la réponse lui était parvenue. Elle avait hésité quelques minutes avant d'ouvrir l'enveloppe aux timbres espagnols. Bizarrement, il lui avait semblé que c'était son destin qu'elle allait y découvrir. Plus prosaïquement, c'était un billet pour Palma accompagné d'un mot très court. Elle était engagée pour les trois mois.

Mais, en fait, elle ignorait toujours par qui et

pour quoi... La lettre très brève, signée « Joséphine de Croïe », spécifiait en effet que c'était « un ami, absent actuellement, qui avait besoin d'une secrétaire pour l'été ».

Rien n'indiquait la profession de son employeur, et, vaguement inquiète, la jeune fille se demandait — un peu tard — si elle avait été bien raisonnable de prendre une place dont elle ignorait tout.

Il était certain que, si sa mère avait été là, elle ne l'aurait jamais laissée partir dans des conditions aussi incertaines. Elle l'aurait obligée à se renseigner, à demander des explications sur le travail qui l'attendait. En fait, tout ce qu'elle savait, c'est qu'elle serait logée et qu'on devait venir la chercher à l'aéroport. Maintenant qu'elle était presque arrivée, elle comprenait que c'était bien peu et qu'elle avait agi sans raisonner.

Où allait-elle ? Chez qui ?... Elle n'en avait aucune idée puisqu'elle n'avait même pas l'adresse de son employeur.

« On » viendrait la chercher à l'aéroport.

Qui était ce « on », d'ailleurs ? Elle l'ignorait tout autant. Son patron ? Sa femme ? (S'il en avait une...) Des amis ? Un domestique ?...

Elle se sentit rougir d'autant de naïveté... Ce mystérieux patron pouvait tout aussi bien être un escroc, un aventurier ! Des histoires de « traite des blanches » lues dans les journaux et dans les « romans noirs » lui revinrent en mémoire...

Il était un peu tard, hélas ! pour retourner en arrière. Se morigéner ou s'inquiéter, après tout, ne lui servirait à rien !

« *Bah !* pensa Marine, *il faut bien que je fasse mon apprentissage de la vie. Avec maman à côté de moi,*

12

qui pensait à tout pour moi, je vivais un peu trop dans un cocon... »

L'hôtesse annonçait au micro que la descente sur Palma était commencée. Grossissant, au fur et à mesure que l'avion s'approchait du sol, de petites tours trapues surmontées d'une immense roue à ailettes traversée, comme un cœur, d'une flèche, couvraient la plaine, que l'on voyait de plus en plus nettement. Elles ressemblaient un peu à des moulins à vent, et pourtant ce n'en était pas. C'était joli autant que curieux. Le voisin de Marine, qui vit qu'elle était intriguée, lui expliqua :

— Des éoliennes. Il y en a partout dans l'île. Le vent fait tourner ces gigantesques roues à palettes que vous voyez, dressées vers le ciel, et en tournant elles font monter l'eau des puits.

C'était extraordinaire : jamais Marine n'avait vu cela ; elle eut l'impression d'entrer dans un autre monde.

Mais déjà l'avion s'était posé. Les passagers s'apprêtaient à descendre. Ils étaient très gais, cela frappa aussi la jeune fille. Sans doute parce qu'après les brumes de Paris — elle était partie sous la pluie — ils allaient vers le soleil et cette mer qui baigne les rivages heureux : la Méditerranée.

En se dirigeant vers le hall de l'aérodrome, elle fut un peu angoissée. Comment allait-elle reconnaître la personne qui devait venir la chercher ? Décidément, elle s'en rendait de plus en plus compte, elle avait fait preuve de beaucoup de légèreté. Par chance, elle savait suffisamment d'espagnol, espéra-t-elle, pour se débrouiller.

Mais, dissipant ses craintes, à la sortie de l'aérodrome elle vit tout de suite un homme d'une quarantaine d'années, râblé, pas très grand, un bon sourire sur un visage sympathique, qui tenait à la main un carton sur lequel était inscrit : « *Signorita Marine Regain* ».

Elle s'approcha de lui, dit en espagnol :

— Signorita Regain.

Il s'empara tout de suite de sa valise ; de la main il désigna une Volvo métallisée, stationnée un peu plus loin :

— Buenos dias, signorita... El coche de « Don Roann »...

Elle comprit qu'avec la « rota », le « j » espagnol roulé dans la gorge comme un double *r*, il s'agissait d'un « Juan » ; sûrement le petit nom de son employeur, qu'à l'espagnole son personnel faisait précéder de « Don ».

Faisant appel aux maigres notions qu'elle avait de la langue, elle demanda quel était le nom de famille de « Don Roann », et aussi quelle était sa profession. L'homme eut une moue comiquement désespérée.

— No comprendo... el Majorquin...

Ce qui voulait dire qu'il ne connaissait pas le castillan, langue officielle de l'Espagne, mais seulement le patois de l'île de Majorque, qui en est très différent. Tant pis, en arrivant elle saurait à quoi — et à qui surtout — s'en tenir !

La voiture maintenant traversait Palma. Marine ne put retenir un cri d'admiration : du côté droit se détachait, gigantesque, sur le ciel d'un bleu intense, une admirable cathédrale ocre rosé, qui semblait dominer la ville ancienne. Sur la gauche, la mer, de la même couleur que le ciel, balançait doucement des bateaux qui allaient de la simple barque de pêcheur au yacht luxueux.

Amarré au centre de la baie, un somptueux trois-mâts se dressait, orgueilleux de sa beauté et de sa puissance.

De la main, le Majorquin le désigna à la jeune fille :

— El rey.

Marine pensa qu'il appartenait au roi. Elle savait que celui-ci avait un palais à Majorque, où il venait passer ses vacances.

Mais, déjà, la voiture avait quitté la capitale de l'île. Elle traversa des faubourgs où se pressaient, en short et tee-shirt, des touristes de toutes les nations et de toutes les classes. Des restaurants affichaient des menus en allemand, en anglais, en italien, même en suédois et en norvégien.

Et puis, subitement, la voiture obliqua dans un chemin bordé d'amandiers et de caroubiers ; une campagne pleine de charme, où il n'y avait plus personne. Une carriole passa, tirée par un âne et conduite par une vieille femme qui les salua en majorquin.

Le changement était si total entre les quartiers de touristes et cette campagne naturelle que Marine en fut étonnée et charmée. Elle était assez sauvage, et l'idée qu'ils allaient peut-être s'arrêter dans ces quartiers surpeuplés l'avaient, un instant, apeurée.

A sa surprise, la route débouchait sur un port, plus petit que la baie de Palma, mais peut-être encore plus ravissant, avec ses hautes collines qui le dominaient. Là aussi, les yachts et les embarcations, serrés les uns contre les autres, faisaient une note gaie et vivante.

Étonnée, Marine remarqua que beaucoup d'enseignes de magasins étaient écrites en français.

— Aqui, Andrat... muchos Français ! expliqua le Majorquin.

Elle pensa que les Français qui avaient une propriété dans l'île devaient s'être groupés autour d'Andrat, ce village pittoresque et agréable ; elle ne devait donc plus être très loin de la maison de « Don Roann ». Son inquiétude, que, prise par le charme du trajet, elle avait oubliée, lui revint ; qui allait-elle trouver ? Un vieux monsieur désagréable ? Un homme jeune qui aurait peut-être sur elle d'autres vues que lui dicter simplement le courrier ?... Une fois de plus, elle se demanda si elle n'avait pas eu tort d'accepter cette situation sur un coup de tête.

Le chemin pris par la voiture serpentait à travers les pins qui descendaient, serrés, vers la mer En bas, on apercevait à travers eux le scintillement argenté des vagues. L'endroit, bien que très beau, semblait complètement désert.

Subitement, une maison blanche surgit, si harmonieuse de lignes qu'elle semblait ne faire qu'un avec le noble paysage qui l'entourait.

Antonio — le Majorquin avait dit son nom à la jeune fille — arrêta la voiture devant :

— La Finca de « Don Roann », dit-il avec autant d'orgueil que si la superbe propriété lui avait appartenu.

Le cœur battant, la jeune fille descendit de la voiture, se dirigea vers la porte. Elle allait enfin savoir qui était son mystérieux patron.

2

D'un coup d'œil, Marine fit le tour de sa chambre : elle était ravissante dans sa sobriété — des murs blanchis à la chaux, un grand divan recouvert d'un dessus de lit majorquin tissé de fleurs multicolores, et quelques meubles typiquement espagnols, pratiques mais de bon goût. Sur une commode étaient posées deux terres cuites naïves représentant, l'une un homme monté sur son âne, l'autre une femme allant au marché sur une même monture ; toutes deux coloriées en blanc, rouge et vert. Comme la jeune fille les avait regardées avec étonnement, Magdalena — la femme d'Antonio — avait éclaté de rire, et, prenant l'une des deux, l'avait approchée de sa bouche. Un sifflement strident s'en était échappé :

— Esta un siruel.

C'est-à-dire que c'étaient simplement, et malgré leur taille, des sifflets « siruels » d'enfants. Avec volubilité, elle avait expliqué à Marine, dans un mélange d'espagnol et de majorquin, que Don Juan — qu'elle aussi prononçait « Don Roann » — aimait beaucoup ces jouets primitifs, et qu'il y en avait dans toute la maison.

Châtain clair, avec des yeux vifs d'un bleu aussi pâle que ceux de Marine étaient foncés, Magdalena incarnait la bonté. C'était elle qui avait reçu la jeune fille et lui avait annoncé que « Don Roann » était absent pour quarante-huit heures. Aujourd'hui, c'était « sabado » (samedi) et il ne devait rentrer que « lunes » (lundi), mais il avait bien dit avant son départ que la jeune fille considère la maison comme la sienne et qu'elle se repose en l'attendant.

La Majorquine avait emmené Marine devant une piscine, creusée autour d'un rocher au milieu des pins, et lui avait expliqué, moitié par gestes, moitié par paroles, qu'elle pouvait s'y baigner autant qu'elle le désirerait.

Maintenant, seule dans sa chambre, Marine était désemparée. Qu'allait-elle faire de ce week-end solitaire, dans une île où elle ne connaissait personne ? Malgré la beauté du paysage, elle se sentait perdue, loin de tout ce qui lui était cher. Que faisait sa mère au même instant ? Sans doute, sur la place San Marco, à Venise, une promenade d'amoureux... Elle soupira : son enfance était bien finie ; il allait lui falloir prendre — et seule — ses responsabilités d'adulte !

Après tout, puisque la maison lui était ouverte, autant faire la connaissance de ce domaine qui allait être le sien pendant trois mois. Elle entrouvrit la porte de sa chambre. Un silence total régnait dans la demeure ; sans doute Magdalena et Antonio étaient-ils dans les communs. La maison lui avait semblé suffisamment grande pour qu'il y ait une partie réservée aux employés de maison.

De gauche et de droite, des portes donnaient sur le couloir, que Marine n'osa ouvrir : elles desservaient sans doute des chambres. Le couloir lui-même aboutissait sur une grande pièce, sûrement le salon, qui se prolongeait par un patio d'où on apercevait la mer au travers des arcades qui l'entouraient. Marine pensa qu'elle pouvait y entrer sans indiscrétion.

Elle ne put retenir un cri de surprise et d'émerveillement : un piano à queue occupait la plus grande partie de la pièce ! Le maître de maison était-il un amateur de musique, ou bien avait-il trouvé que ce grand piano ornait agréablement son salon ?

Ce fut pour la jeune fille comme une présence amie. Elle ne se sentait plus une étrangère dans cette maison inconnue et isolée. Il y avait là ce qui avait enchanté son enfance, et qui, toute sa jeunesse, avait été son meilleur ami.

Elle s'en approcha presque religieusement. Mieux que personne, il lui souhaitait la bienvenue. Doucement, elle passa sa main sur l'ébénisterie parfaite qui recélait les sons divins dont les maîtres de la musique avaient tiré des harmonies qui chantaient à ses oreilles. Pourtant, elle n'osait l'ouvrir en l'absence de son propriétaire. Cela lui aurait semblé d'une indiscrétion sans nom. Elle se contenta d'espérer que Don Juan l'autoriserait de temps à autre, ne serait-ce que lorsqu'il s'absenterait, à s'en servir.

Entre les excellents repas servis par Magdalena, qui lui fit découvrir les gambas, ces énormes crevettes roses de la taille d'une langoustine, la piscine, des promenades dans le bois de pins qui entourait la maison et descendait en pente douce vers la Méditerranée, le week-end sembla beaucoup plus court à Marine qu'elle ne l'avait craint.

Lorsqu'elle se leva le lundi matin à 8 heures, après

une nuit où le sommeil l'avait fuie, elle ne put réprimer son inquiétude : elle allait faire la connaissance de son « patron ». Délaissant le blue-jean qu'elle avait mis le samedi et le dimanche, mais qu'elle trouvait un peu trop désinvolte pour une secrétaire, elle passa une robe d'été assez sévère, du même bleu foncé que ses yeux. Hésitante, elle regarda dans la glace ses cheveux d'un noir soyeux qui tombaient comme une vivante chape sur ses épaules. Ils encadraient son visage en faisant ressortir l'ovale parfait qui la faisait ressembler à une Vierge florentine du xviie siècle. Mieux valait les nouer en chignon. Elle les tira sur sa nuque en une coiffure austère qui, pensa-t-elle, la vieillissait et convenait mieux à son état de secrétaire.

Ainsi habillée et coiffée, sans maquillage, elle se regarda dans une glace et faillit éclater de rire en voyant sa transformation : elle figurait à la perfection la secrétaire modèle... Mais, maintenant qu'elle était prête, que devait-elle faire ? Attendre dans sa chambre qu'on la convoque, se rendre dans le salon, un bloc de papier et un stylo entre les mains ? Magdalena, en entrant, la tira de son embarras.

— « Don Roann » es aqui...

La jeune fille suivit la Majorquine, qui lui faisait signe de venir avec elle. Elle ne semblait pas le moins du monde embarrassée par la présence de son patron dans la propriété. La brave femme dut sentir l'inquiétude de la jeune fille, car avec un bon sourire elle prononça un rassurant :

— « Don Roann » muy amable.

Si ce mystérieux patron était « très aimable », comme l'affirmait Magdalena, il n'y avait pas trop à s'inquiéter.

La Majorquine s'effaça pour laisser entrer Marine dans une petite pièce qui rompait, par son ameublement, avec le restant de la maison. Là, tout était moderne, de la machine à écrire électrique au classeur dernier modèle : le bureau type de l'homme d'affaires.

Tout d'abord éblouie par le soleil, la jeune fille ne vit qu'une haute silhouette qui se découpait de dos, à contre-jour devant la fenêtre. Mince, mais avec une musculature de sportif que faisait ressortir la chemise de soie ouverte sur la poitrine, le patron de Marine ne semblait guère avoir dépassé trente, trente-cinq ans au maximum. Il était coiffé comme les seigneurs des toiles de Titien, les cheveux encerclant le visage, dont maintenant, parce qu'il s'était tourné vers elle, elle apercevait le profil. Un profil altier et volontaire de conquistador, que Marine eut l'impression bizarre d'avoir déjà vu.

Il disait courtoisement :

— Bonjour, mademoiselle... Marine, je crois. Je suis ravi de faire votre connaissance. J'espère que vous ne vous êtes pas trop ennuyée pendant ce week-end.

Maintenant, il était face à elle, et elle comprenait pourquoi son profil lui avait semblé presque familier. Son patron, autant qu'elle pouvait en juger, car ses traits restaient dans l'ombre, ressemblait étonnamment au pianiste Jean de Seize...

Elle le regardait, tellement stupéfaite, qu'étonné à son tour Don Juan se pencha légèrement vers elle. Et, là, elle n'eut plus aucun doute : ce n'était pas une similitude de traits... c'était le musicien en personne qu'elle avait devant les yeux. Elle avait trop suivi ses concerts pour pouvoir se tromper : l'homme qu'elle

21

avait devant elle, dont elle était la secrétaire, n'était autre que l'idole de son enfance, le plus célèbre de tous les virtuoses : Jean de Seize. Ainsi s'expliquait le piano du salon !

D'émotion, la jeune fille se sentit rougir jusqu'à la racine des cheveux. Elle balbutia :

— Maître...

Mais devant elle le « patron aimable » s'était transfiguré. Une colère furieuse, bien que retenue, se lisait sur son visage. D'une voix glaciale, il demanda :

— J'aimerais savoir comment vous me connaissez. Je ne suis pas Aznavour ni Johnny Halliday pour que toutes les jeunes filles me reconnaissent. Alors ?...

Marine fut tellement surprise de cette réaction qu'elle ne put que balbutier :

— J'adore la musique, j'ai suivi tous les concerts que vous avez donnés à Paris.

Instinctivement, elle avait senti qu'il ne fallait pas lui dire qu'elle-même était pianiste.

Il fronça les sourcils, comme si cela lui avait été profondément désagréable. Rapide comme un coup de fouet, aussi sec, aussi cinglant, il jeta :

— En tout cas, souvenez-vous en, ici il n'y a pas de « Maître ». Je suis pour tous, y compris vous, à la manière espagnole, « Don Juan », rien d'autre.

Il ajouta, sarcastique :

— Et vous m'obligeriez en ne vous croyant pas tenue de me parler de musique. Imaginez que vous travaillez avec un homme d'affaires, cela vaudra mieux pour nous deux. D'ailleurs, les lettres que je vous dicterai seront uniquement de ce style.

Sans laisser à la jeune fille le temps de se ressaisir, il ajouta :

— Vous avez affirmé dans votre réponse à mon

annonce que vous étiez bilingue. J'espère que c'est vrai, et que vous savez l'anglais aussi bien que le français. Puisque vous me connaissez de nom, vous devez donc savoir que je donne des concerts à travers le monde entier. L'anglais étant maintenant une langue universelle, c'est donc dans celle-ci que je corresponds le plus fréquemment.

Et sans même écouter Marine, qui, désarçonnée, murmurait « Mon père était Canadien anglais... », il commença à dicter :

« *Dear John,*
Happy to know... »

Si jamais, même dans ses plus extravagantes rêveries, Marine avait pensé qu'un jour elle serait la secrétaire de Jean de Seize, encore moins, si c'était possible, avait-elle imaginé le pianiste sous cet aspect odieux.

Seule, dans le petit bureau où il l'avait laissée avec le courrier qu'elle devait taper, elle n'arrêtait pas de ressasser cette première entrevue.

« *Eh bien,* pensa-t-elle avec amertume, *si Magdalena trouve que « Don Juan » est « amable »,* je me *demande chez qui elle avait servi auparavant ! Un homme des cavernes...* »

A l'immense joie qui l'avait assaillie lorsqu'elle avait reconnu le célèbre musicien avait succédé une tristesse qui côtoyait presque le désespoir.

Quoi, cet homme odieux était Jean de Seize ? Pour Marine, un pianiste, d'autant plus qu'il était illustre, devait être un homme idéal qu'elle n'arrivait à imaginer que transfiguré par la musique. Un homme sensible comme une mazurka de Chopin, profond comme un concerto de Beethoven, souriant comme une sonate de Mozart...

Avec une amertume qu'elle ne cherchait pas à se dissimuler, elle voyait maintenant l'énormité de son erreur.

« *Décidément,* pensa-t-elle une fois de plus, *j'ai vraiment besoin de me frotter à la vie réelle. Je l'ai bien trop idéalisée... rien à voir avec la réalité.* »

Elle soupira, en enlevant de la machine la lettre qu'elle venait de taper en anglais. Heureusement elle connaissait bien sa langue paternelle, car Jean de Seize, lui-même la parlant couramment, aurait certainement repris la moindre faute, et sans aucune indulgence... Elle s'en rendait bien compte. Elle avait même l'impression qu'il ne souhaitait qu'une chose : la prendre en faute pour la renvoyer.

Pourtant, elle lui devait cette justice : après son agressive entrée en matière, Jean de Seize s'était montré par la suite moins désagréable, voire presque aimable.

— Tous les matins, à 10 heures, vous devez être dans ce bureau, avait-il dit succinctement. Si j'ai du courrier à vous dicter, vous m'y trouverez. Sinon, même si je ne suis pas là, je vous prierai d'y rester jusqu'au déjeuner, à 2 heures, puisqu'ici nous prenons nos repas à l'heure espagnole. Vous répondrez au téléphone, mais ne me passerez jamais aucune communication, même si on vous dit que c'est personnel. Mes amis savent qu'ils ne doivent m'appeler que l'après-midi, le matin étant réservé aux coups de fil de travail. Vous aurez aussi à en donner, que je vous indiquerai ; le plus souvent en anglais. J'ai vu que vous aviez, en effet, une parfaite connaissance de cette langue ; ce ne sera donc pas un inconvénient pour vous. Quand vous quitterez votre bureau, si vous ne m'avez pas vu, vous laisserez sur la table la liste des personnes qui m'ont appelé, avec le message qu'elles vous auront laissé...

» Après déjeuner, vous finirez de taper le courrier, s'il y en a encore. Sinon, vous serez libre de votre après-midi, à moins, évidemment, que je n'aie besoin de vous. Mais, dans ce cas, je vous préviendrai le matin. »

Jean de Seize, avait pensé Marine, était non seulement un extraordinaire virtuose, mais aussi un homme parfaitement organisé. N'était-ce pas obligatoire, s'il voulait défendre le peu d'intimité que lui laissait le public, contre les appels constants des impresarios, des journalistes, des admirateurs — et surtout des admiratrices ?

Puis le pianiste avait un peu hésité avant d'ajouter :

— Vous prendrez vos repas dans le patio, ou dans un petit salon qui y est attenant, à votre choix. Moi, il est rare que je les prenne ici, et quand cela m'arrive...

Il avait eu un geste vague, mais que Marine avait fort bien interprété : « Je ne tiens pas à déjeuner avec ma secrétaire. »

Au moment où, ayant fini de dicter son courrier, il s'apprêtait à partir, il s'était retourné vers la jeune fille. Sur le même ton précis, il avait ajouté :

— Vous pouvez vous servir autant que vous le désirez de la voiture dans laquelle Antonio est venu vous chercher. Je ne prends que la Mercedes...

— Ah ! avait-il encore dit, il y a deux hors-bord ancrés dans la petite baie en bas de la maison. Si vous aimez la mer, vous pouvez aussi vous servir du plus petit des deux, le Zodiac. C'est un excellent bateau, puisque c'est celui qu'emploient les gardes côtiers. Il est sans danger. Et son moteur de vingt chevaux vous permet déjà une gentille vitesse. Je vous conseille, pendant votre séjour ici, de visiter l'île tant par terre que par mer. Vous verrez qu'elle est fort belle et fort diverse... bien sûr, si vous êtes sensible au charme des paysages et des plages désertes ! Si vous préférez, avait-il ajouté avec une nuance de mépris dans la voix, les endroits surpeuplés, vous avez El Arenal, qui n'est qu'à quelques kilomètres de Palma.

Piquée au vif, la jeune fille avait répondu :

— J'aime les sites sauvages, Don Juan, et la solitude. Puisque vous avez l'amabilité de me les proposer, j'userai largement de votre voiture et de votre bateau.

Il n'avait pas répondu et s'était contenté d'un petit salut de la tête avant de sortir.

En glissant un carbone entre les deux feuilles de papier qu'elle allait mettre sur la machine, Marine repensait à cette conversation. Certes, il était difficile de trouver un travail plus agréable et qui laisse autant de loisirs. Plus rare encore qu'un patron mît à la disposition de sa secrétaire une voiture et un bateau ! Elle aurait dû être à tous points de vue follement heureuse. Mais tout cela avait été dit sans chaleur humaine, de la même voix que Jean de Seize avait énoncé les appointements élevés qu'il lui donnait, et ses heures de travail. Il n'y avait pas eu une trace d'amitié ou même de sympathie dans sa voix.

« *Et, après tout,* pensa-t-elle, *pourquoi y en aurait-il eu ? Il m'a vue aujourd'hui pour la première fois. Quand il me connaîtra mieux, ce sera sans doute différent.* »

26

Car cette froideur qui avait présidé à leur conversation était le contraire même de ce que recélait sa musique... Un critique n'avait-il pas écrit, en parlant du célèbre virtuose : « *Dans chaque morceau qu'il interprète on entend battre le cœur du musicien* » ?

Oui, c'était cela qui avait fait de lui le plus grand de tous ; cette communion avec l'auditeur, cette passion qu'il lui communiquait à travers les notes qui s'égrenaient, légères ou pathétiques, sous les doigts du pianiste.

Certes, il pouvait être autoritaire, voire désagréable, odieux... Sa sensibilité même de musicien pouvait être responsable de ses sautes d'humeur. Elle se souvint que Chopin était un dandy qui ne supportait aucune contrariété et que les colères de Beethoven avaient été célèbres. Mais il était impossible que Jean de Seize fût uniquement cet homme froid, glacial, qu'elle avait rencontré le matin. Elle s'était demandé si elle oserait un jour lui avouer qu'elle aussi était — bien modestement — une pianiste.

De toute manière, le plus grand des bonheurs ne l'attendait-il pas ? Et à cette pensée un sourire radieux illumina son visage, lui rendant la grâce juvénile que le chignon austère tempérait. Elle allait l'écouter jouer... Et, qu'il le voulût ou non, pour elle seule !

Car, même si elle n'était pas admise dans la salle de musique, la maison était faite de telle manière que, de toutes parts, on devait entendre le piano. Elle allait vivre près de son dieu. Entrer avec lui dans le sanctuaire de la musique. A cette pensée, elle se retint pour ne pas bondir de joie.

Elle se laissait aller à son euphorie quand, subitement, une chose lui revint, si bizarre, si étrange, qu'elle transforma sa joie en une inquiète curiosité. Jean de Seize avait paru terriblement contrarié qu'elle le reconnût. Quelle raison le poussait à vouloir garder l'incognito, même vis-à-vis de sa secrétaire ? Obligatoirement, celle-ci devait savoir qui il était.

Elle eut la même impression qu'elle avait ressentie, fugace, quand il avait si mal réagi au mot « maître » : il aurait mille fois préféré avoir pour secrétaire une femme pour qui la musique aurait été uniquement « pop » ou « disco » et qui n'aurait jamais entendu parler de lui... Mais pourquoi ?

3

La semaine passa pour Marine sans que Jean de Seize lui dictât la moindre lettre. Le plus clair de son travail se bornait à prendre les communications qui émanaient de tous les pays. Le thème en était toujours pareil. « Le maître serait-il libre à telle époque pour donner un récital ? à Tokyo... à Phila-delphie... à Buenos Aires... à Mexico... à Londres. » Même, un jour, on lui téléphona de Pékin. La Chine populaire, s'occidentalisant, « désirait écouter le plus grand des pianistes contemporains, s'il voulait bien faire cet immense honneur au plus humble de ses admirateurs... » Cela était dit dans un anglais impec-cable, mais avec un accent zézayant tel que la jeune fille eut du mal à garder son sérieux... Avec une telle politesse, aussi, qu'elle eut l'impression qu'à quel-ques milliers de kilomètres de Palma son invisible interlocuteur s'inclinait respectueusement chaque fois qu'il prononçait le nom du maître.

Comme Jean de Seize le lui avait recommandé, avant d'aller déjeuner, elle laissait sur sa table la liste des communications, avec le résumé de ce qui lui avait été dit.

Invariablement, elle la retrouvait le lendemain matin barrée de long en large, avec la mention : « *Si on rappelle, dire que je n'ai pas de dates de libres avant trois ans...* » Ce qui n'étonnait qu'à moitié la jeune fille. Elle était trop du métier pour ne pas savoir que le calendrier d'un grand concertiste est surchargé, et que la date de ses concerts est quelquefois retenue deux ou trois ans à l'avance.

Elle fut plus étonnée quand elle vit un matin entrer Jean de Seize dans son bureau. Il tenait à la main le papier sur lequel, la veille, elle avait indiqué que le « Carnegie » de New York avait fait savoir que la date du maître serait acceptée, même s'il ne pouvait être libre que dans cinq ans, ou si cela obligeait la célèbre salle de concert à modifier un programme.

Le masque pincé par la colère qu'il essayait de maîtriser, Don Juan jeta :

— Comment faut-il vous dire que vous devez toujours répondre que je ne suis pas libre ? Quelle que soit la date proposée, ou la salle qui sanglote après ma présence !

Il redit, en accentuant les mots :

— Je ne suis pas — je ne suis *jamais* libre. C'est clair et facile à comprendre, non ? Alors, ne jouez pas les idiotes.

La porte claqua avant que la jeune fille ait eu le temps de lui répondre.

Éberluée, elle restait debout, regardant la porte fermée. Que lui avait-il pris ? Et en quoi était-elle responsable, elle, des offres qu'on lui faisait ? Elle ne pouvait quand même pas prendre sur elle un refus au « Carnegie », la plus célèbre salle du monde. A son tour, devant tant d'injustice, Marine sentit la colère monter en elle. Virtuose ou pas, cet homme était

30

vraiment odieux. De plus, en elle, la pianiste se rebellait. Comment pouvait-il refuser l'offre du « Carnegie », alors que tant de musiciens se seraient traînés à genoux pour obtenir d'y jouer ?

Et, soudain, une pensée la traversa. Depuis qu'elle servait de secrétaire à Jean de Seize, jamais elle ne l'avait entendu jouer... Sur le moment, toute prise par son travail, sa nouvelle vie, les surprises que celle-ci lui offrait, elle n'y avait pas fait attention. De plus, il était rare que le musicien fût chez lui. Tôt le matin, la puissante Mercedes quittait la villa, et Marine ne l'entendait revenir que tard dans la nuit... Mais, de toute façon, le fait en lui-même était étonnant, pour ne pas dire extraordinaire. Elle prit conscience du fait qui, depuis qu'elle était là, lui semblait étrange sans qu'elle pût le définir exactement. C'était cela : le silence du grand piano. Pas une fois, depuis le début de la semaine, Jean de Seize n'en avait soulevé le couvercle.

Marine savait, pour l'avoir pratiqué elle-même jusqu'à ces derniers jours, qu'un pianiste fait au moins deux ou trois heures d'exercices par jour pour ne pas perdre la souplesse de ses doigts. Comment se faisait-il que Jean de Seize, le virtuose, ne se pliât pas à cette obligation ? Cela était encore plus mystérieux que de refuser de se produire au « Carnegie ».

En venant lui annoncer que le déjeuner était prêt, Magdalena l'arracha à ses pensées.

La brave femme avait mis la table sur le patio, près d'un énorme buisson d'hibiscus d'un rose pâle. Du cœur pourpre des grandes fleurs jaillissait un immense pistil rouge, si léger qu'il ajoutait encore à leur grâce. Dans la nuit, elles se faneraient, mais le lendemain d'autres, aussi ravissantes, les remplaceraient. Leur beauté était à la fois éphémère et éternelle.

Tout en dégustant les « calmars à la plancha », spécialité de l'île, et de Magdalena qui n'avait pas sa pareille pour faire griller le poisson, Marine se demandait ce qu'elle allait faire de son après-midi. Elle avait terminé le courrier. Don Juan, avait annoncé Magdalena, était parti passer la journée chez des amis. Marine était donc libre de son temps.

Pourquoi ne suivrait-elle pas le conseil donné le premier jour par Jean de Seize, et n'irait-elle pas à la découverte de cette île que les anciens qualifiaient de « joyau de la Méditerranée » ?

Bien sûr, répondit Magdalena, à laquelle elle venait de poser la question, « el coche » était à la disposition de la jeune fille. Antonio ne se servait de la Volvo que le matin, pour faire les courses.

L'idée de cette promenade ravit Marine, l'arrachant à ses préoccupations. Après tout, que son énigmatique patron aille au diable avec ses caprices ! Elle avait dix-neuf ans, son miroir lui disait qu'elle était ravissante, elle avait une voiture à sa disposition et une île inconnue à découvrir. En hâte, elle enleva sa robe sévère, passa un pantalon et un chemisier imprimé de grandes fleurs blanches et rouges qui ressemblaient aux hibiscus du patio ; sans hésiter, elle défit l'austère chignon de secrétaire. Ses cheveux, en tombant sur ses épaules, qu'ils recouvraient de leur soie aux reflets bleus, la rendirent définitivement à elle-même. Ce fut avec un plaisir réel qu'elle s'installa au volant de sa voiture.

Mais où aller pour cette première promenade ?

Et, subitement un nom s'imposa à elle : Chopin ! N'était-ce pas dans cette île que le grand musicien avait composé, mourant de la phtisie, ses plus belles œuvres ? N'était-ce pas ici qu'il avait vécu avec George Sand le plus brûlant, le plus fou des romans d'amour ?

C'était dans la chartreuse de Valldemosa que la belle romancière et le grand musicien avaient passé un hiver où la passion le disputait au génie.

Fébrilement, Marine chercha sur la carte : c'était moins loin qu'elle ne le croyait ; trente kilomètres à peine.

Le chemin à l'intérieur des terres qui mène à la vallée de Valldemosa enchanta d'abord Marine par son pittoresque, puis l'éblouit par sa beauté.

Des montagnes d'un bleu outremer barraient l'horizon, mais la courbe de leur sommet s'arrondissait doucement, presque tendrement, comme un sein de femme. Elles n'avaient rien à voir avec les pics déchiquetés des Alpes ou des Pyrénées. Ici, tout semblait être à la mesure de l'île et fait comme elle pour le plaisir et la joie.

Tout en conduisant, elle se remémorait la vie de Chopin, son musicien préféré.

Ce compositeur polonais, né pourtant d'un père français, avait écrit sur sa malheureuse patrie les plus belles, les plus pathétiques des musiques ; que ce soient les mazurkas, les polonaises, ou les valses...

Il était déjà tuberculeux — phtisique comme on disait à l'époque, où cette maladie était mortelle — lorsqu'il avait rencontré celle qui fut la plus célèbre des femmes de lettres de l'époque romantique : l'auteur de *La Petite Fadette*, de *La Mare au diable* et... une des premières féministes.

Elle était son aînée de presque quinze ans, mais

peu leur importait à tous deux. Chopin se savait condamné... et George allait d'amours passionnées et tragiques en amours tragiques et passionnées ! Mais la romancière avait, de son mariage avec M. Dudevant, dont elle avait divorcé, une fille et un fils, Maurice... Celui-ci souffrait de rhumatisme, et le médecin avait conseillé qu'il passe l'hiver au bord de la Méditerranée, où le climat était plus doux qu'à Paris. George avait choisi Majorque : une île alors à peu près inconnue du continent et où l'arrivée d'un étranger faisait figure d'événement.

Chopin n'avait pourtant pas hésité, quoique très malade, à suivre sa belle maîtresse dans cette périlleuse aventure. Hélas ! tout s'était ligué contre les amants !

L'hiver, cette année-là, au lieu d'avoir sa coutumière douceur, avait été glacial... Le couple illégal s'était vu fermer toutes les portes malgré sa célébrité : on ne badinait pas avec le scandale, surtout dans un endroit encore primitif comme Majorque. De plus, la maladie de Chopin avait été vite connue, affolant la population par son risque de contagion. Réfugiés dans la chartreuse de Valldemosa, les malheureux grelottaient devant un maigre feu et l'état de Chopin empirait de jour en jour.

En février, lorsque, enfin, ils purent partir par le premier bateau qui quittait l'île pour Barcelone, le musicien était mourant. Mais il avait écrit ses plus belles œuvres et... aimé !

Aimé... un mot qui semblait extraordinaire à Marine. A dix-neuf ans jamais encore cela ne lui était arrivé.

Vivant avec sa mère, ne quittant pas celle-ci, n'ayant qu'une passion, son piano, elle n'avait même pas eu les flirts de son âge. D'ailleurs, elle était trop pure, trop d'une pièce, trop profonde aussi, pour se complaire en de vagues amourettes.

Elle savait que lorsqu'elle aimerait ce serait pour la vie. Mais elle commençait à se demander avec une inquiétude ingénue si cela lui arriverait un jour ?

Le chemin que Marine avait pris pour se rendre à Valldemosa était une route de montagne. Au fur et à mesure qu'elle montait, la jeune fille s'émerveillait du changement de paysage, qui n'avait plus rien à voir avec la douceur de la côte.

Aux pins avaient d'abord succédé de grands caroubiers, au feuillage d'un vert profond qui donnait l'impression d'être vernis. Ils couvraient, avec les figuiers, le flanc des coteaux. Peu à peu ils avaient cédé la place aux oliviers. Des oliviers comme jamais la jeune fille n'en avait encore vus, même en Provence : aux troncs énormes, tordus, sculptés comme par la main d'un titan. Elle s'arrêta sur le bord de la route pour mieux les contempler. Leur feuillage léger, d'un vert pâle, contrastait avec leurs troncs puissants. C'étaient vraiment les arbres divins de l'Antiquité. « *Ils ont au moins cinq ou six cents ans* », pensa Marine émerveillée.

A un tournant, elle eut la surprise de voir, tout en bas, la mer, qui semblait immobile, pareille à un grand lac paisible.

De temps à autre, la jeune fille passait dans un petit village doré par le soleil, que l'heure de la « siesta » avait mué en désert. Les volets verts fermés sur la pénombre des appartements rendaient encore plus surprenants ces minuscules bourgs qui auraient semblé abandonnés sans quelque vieillard tout cassé qui, assis sur une chaise, devant sa porte, la regardait passer.

« *Il ne doit pas y avoir eu beaucoup de changements ici, en un siècle* », pensa Marine. Quand Chopin et George Sand y étaient venus, sans doute la seule différence qu'il y eût avec aujourd'hui résidait dans les moyens de transport... Eux allaient en voiture à cheval, ou à dos de mulet.

Tout, dans cette île, la ravissait. Elle se promit, si le lendemain elle était encore libre, de sortir le hors-bord pour aller à la découverte de quelque « cala » déserte où elle pourrait prendre un bain de soleil. Mais il lui plaisait d'avoir commencé sa visite de l'île par ce pèlerinage musical.

Le minuscule et charmant village, où se dresse l'abbaye qui fut construite au XIIIe siècle, la surprit à un détour de la route. Malgré les marchands de souvenirs, son charme un peu suranné la séduisit immédiatement. Sur la place, où de gigantesques platanes masquaient le bleu du ciel, s'ouvrait le porche du monastère.

Elle prit un ticket : le commerce ne perd pas ses droits, même lorsqu'il s'agit de vendre l'âme du passé. Elle pénétra dans la chartreuse, où plus aucun moine ne passerait, silencieux, un chapelet entre les doigts...

Un grand cloître blanc donnait accès aux cellules où, pendant six cents ans, les religieux avaient prié et médité loin des bruits du siècle.

Ensuite, le couple qui avait scandalisé même ses pairs y avait logé tout un hiver, et c'étaient ces trois mois-là, bien plus que six siècles de prières et de méditation, qui attiraient aujourd'hui les visiteurs.

Lentement Marine se promenait dans le cloître

évoquant tout ce passé. Un bruyant groupe de touristes qui venaient de descendre d'un car envahit le monastère.

Le charme s'était dissipé, tué par leurs bruyantes exclamations. Renonçant au calme et à la paix du cloître, Marine entra dans la première cellule. Un gigantesque piano à queue emplissait presque en entier la minuscule pièce. Non pas celui sur lequel Chopin avait composé ses mazurkas et ses polonaises, mais celui où, plus tard, des virtuoses étaient venus rendre hommage au maître de la musique romantique en interprétant ses œuvres.

Avec curiosité, elle se pencha vers la liste aux noms prestigieux qui était fixée au mur :

> *Manuel de Falla*
> *Samson François*
> *Alfred Cortot*
> *Rubinstein*

et, le dernier à y avoir joué :

> *Jean de Seize...*

Elle sentit une émotion profonde l'envahir. Ainsi étaient réunis ici, symboles de la musique, les noms des deux hommes qu'elle révérait le plus, le mort et le vivant : Chopin et Jean de Seize. A nouveau, malgré elle, ses pensées s'enfuirent vers le pianiste et vers ce qui l'obsédait : comment se faisait-il que, depuis qu'elle était arrivée, il n'eût jamais ouvert son piano ? Il y avait là quelque chose qui échappait à la jeune fille. Elle pressentait un angoissant mystère.

Elle sortit de la pièce, pénétra dans une autre qui l'attirait, parce qu'aucun touriste, pour l'instant, ne s'y trouvait.

Et, tout de suite, elle sut qu'elle venait de pénétrer dans la cellule où Chopin avait vécu. Sans l'avoir jamais vu, elle reconnut immédiatement l'instrument droit, tout simple, sur lequel avaient couru les doigts du grand musicien.

Ce piano — un Pleyel — qu'il avait fait venir de Paris, qu'il avait attendu tout l'hiver, devant se contenter d'en louer un, et qui n'était arrivé que trois semaines avant son départ !

Au mur, quelques lignes étaient encadrées :

« Les mains de Frédéric Chopin jouant du piano firent entendre merveilleusement les plus splendides harmonies et les plus pathétiques expressions de l'âme, que son génie avait prodiguées dans ses œuvres immortelles... »

Elle ferma quelques secondes les yeux pour mieux se recueillir, et il lui sembla que, quelque part dans le cloître, on jouait une de ces merveilleuses valses comme seul avait su les écrire Chopin et comme seul savait les interpréter Jean de Seize.

Le rêvait-elle ? Était-ce le fantôme léger d'un autrefois à jamais défunt ?

Marine pensa que, pour elle, les interpréter au piano était fini. Elle se contenterait de les écouter jouer par d'autres qui avaient plus de talent qu'elle.

Sa gorge se serra... ses yeux s'embuèrent... A ce moment-là elle aurait donné sans hésiter sa vie pour être, une année seulement, la pianiste que toute son enfance elle avait rêvé d'être !

Du regard, elle fit le tour de la minuscule cellule qui avait abrité le génie de Chopin. Hors le piano, il y avait peu de meubles. Dans un coin, un grand fauteuil de bois sculpté où il aimait s'asseoir semblait attendre qu'il revînt.

Les touristes entrant dans la pièce arrachèrent Marine à ses pensées et à ses souvenirs.

Elle se réfugia dans le minuscule et ravissant jardin sur lequel donnait la cellule. Un jardin tout de poésie, fait sûrement par un moine amoureux de la nature et des fleurs. Elle se dit qu'il devait déjà être ainsi du temps de Chopin. Il avait eu ici vingt-huit ans et « saignait déjà la blessure mortelle de ses poumons qui allait ruiner sa jeunesse ». Il était si beau, si naturellement élégant que son ami Liszt l'avait surnommé « le Prince ». Certes, la chartreuse de Valldemosa avait encore aggravé le mal qui l'habitait et, sans doute, avait hâté sa fin ; mais, sans les conditions tragiques — physiquement et moralement — où il avait vécu ici et dont souffrit tellement son « âme en exil », aurions-nous eu ces merveilleux préludes ? se demanda-t-elle.

Assise sur le rebord du jardin suspendu qui domine l'un des plus beaux vallons de l'île, c'était à cela que pensait Marine, sans se rendre compte que deux jeunes gens la contemplaient. Eux, ce n'était sûrement pas le souvenir de Chopin qui les émerveillaient, mais la présence bien vivante de cette jeune fille...

« Schön », soupira l'un des deux. « Ravissante, reprit son camarade en français... je donnerai bien toutes les mazurkas du vieux Chopin pour une heure passée avec cette pépée ! » Mais perdue dans sa contemplation du passé, un passé que « Don Juan » rendait bien présent, la « pépée » n'entendit même pas ces grossiers admirateurs !

Elle pensait à la brûlante passion qui avait uni la romancière au musicien. Avec la fougue, l'ardeur de sa jeunesse, Marine enviait George Sand, qui avait vécu un si grand amour... Sans bien s'en rendre compte, rêveuse éveillée, elle s'incarnait en elle, comme elle incarnait Jean de Seize en Chopin.

Les touristes semblaient avoir déserté la chartreuse de Valldemosa. Sans doute le car qui les avaient amenés était-il reparti.

Transportée dans un monde irréel, Marine errait, ravie, dans le grand cloître blanc, s'attendant à voir surgir au coin d'une colonne, un révérend père chartreux... Mais depuis longtemps les moines avaient déserté le beau monastère. Le dernier qui y était resté jusqu'à sa mort était un frère pharmacien qui avait soigné le malheureux Chopin à l'aide de ses onguents et de ses plantes médicinales.

Et c'était justement sa pharmacie que cherchait la jeune fille. Des amis qui l'avaient vue lui avait recommandé de ne pas en manquer la visite, car elle était restée telle quelle, avec ses antiques pots marqués de noms latins, ses balances qui pesaient au milligramme l'opium ou l'ellébore, ses pilons de marbre où pendant des siècles avaient été broyées les pommades.

Une porte, sur sa gauche, était entrouverte. Elle la poussa, pensant que c'était enfin celle de la pharmacie. Étonnée, elle se trouva dans un salon aux meubles espagnols et aux lourdes tentures d'un rose passé. Dans la pièce voisine, elle aperçut un lit à colonnades dont la courtepointe était de la même couleur que les rideaux. Où se trouvait-elle ?

Une voix de femme profonde et scandalisée la fit sursauter :

— Que faites-vous ici, mademoiselle ? C'est un appartement privé.

Elle se tourna vers le jardin d'où venait la voix.

Une femme encore jeune mais grande et imposante, aux traits majestueux, la regardait sans aménité. A côté d'elle, un homme se tenait, négligemment accoté sur le muret qui bordait le jardinet, regardant vers le vallon. Il se retourna, contempla la jeune fille avec stupéfaction et s'exclama, d'une voix étonnée :

— Mais, Dieu me damne si ce n'est pas là ma petite secrétaire ! Sans sa robe d'institutrice et son chignon de vieille fille, j'ai failli ne pas la reconnaître. Allons, Reine, ne lui faites pas peur avec votre grosse voix ! Elle va bien nous dire pourquoi elle m'a poursuivi jusqu'ici...

4

Stupéfaite, Marine regardait Jean de Seize. Que faisait-il ici ? Était-ce dans cette suite de cellules transformée en luxueux appartement qu'il passait ses journées ? Marine avait fort bien reconnu la jeune femme qui lui avait parlé. C'était, illustre, le plus beau « contralto » de France et peut-être du monde : Reine Cassar ! Sa voix était aussi légendaire que sa beauté, et ses aventures amoureuses avaient, plus d'une fois, fait la « une » des journaux à scandale.

Un soupçon effleura la jeune fille, qui, à son étonnement, sentit battre plus vite son cœur : Jean de Seize était-il son amant ? Cela expliquerait beaucoup de choses : qu'il ne fût jamais chez lui ; qu'il ne tînt pas à avoir une secrétaire trop au courant des choses de la musique, qui aurait vite fait de comprendre qu'il avait une liaison avec la célèbre chanteuse... Si c'était le cas, pas plus l'un que l'autre ne devait tenir à ce que les journalistes le sachent.

Ne connaissant pas Marine, le pianiste pouvait craindre qu'elle ne vende cette information à un journal ou même à plusieurs, qui en feraient avec délices un article à sensation.

Tandis que ces pensées tournoyaient dans sa tête, Jean et Reine regardaient sans mot dire la jeune fille, attendant une explication qui tardait à venir, tant Marine était troublée.

« Don Juan », qui avait posé sa longue main sur l'épaule de Reine, la retira, comme s'il avait craint que ce geste familier fût mal interprété par sa secrétaire. Puis, comme celle-ci se taisait toujours, il reposa sa question, en s'adressant cette fois-ci directement à la jeune fille. Il y avait dans sa voix de la curiosité, mais aussi une pointe d'exaspération. Marine le sentit.

— Que se passe-t-il ? Et, au fait, comment avez-vous fait pour me trouver ? Je ne vous avais pas dit où j'étais, que je sache !

Désarçonnée par cette étrange coïncidence, Marine murmura, consciente de l'invraisemblance de sa réponse :

— C'est un pur hasard... je me promenais... Je ne savais pas du tout que vous vous trouviez à la chartreuse.

Hostile, la cantatrice jeta :

— Et c'est aussi par hasard que vous entrez, sans hésiter, dans des appartements privés ? Avouez que c'est assez curieux.

Marine balbutia :

— Je cherchais la pharmacie...

Reine la considéra avec à peu près le même étonnement qu'elle aurait manifesté en voyant un dinosaure surgir devant elle :

— Et vous avez pris mes cellules pour une pharmacie ? Et sans doute me prenez-vous, moi, pour la pharmacienne ?

Marine ne put s'empêcher de rougir jusqu'à la

racine des cheveux. Jamais, de toute sa vie, elle ne s'était trouvée dans une situation aussi embarrassante.

Elle donnait vraiment l'impression d'espionner Jean de Seize. Que n'allaient-ils pas imaginer, tous les deux ? Ils la regardaient du même œil inquisiteur. Marine en fut persuadée : ils ne croyaient pas un seul mot de ce qu'elle disait.

Et puis, subitement, les traits de Jean de Seize se détendirent et, au grand étonnement de la jeune fille, il éclata de rire :

— Mais oui, j'ai compris ! Reine, cette jeune fille est férue de musique. Elle est venue visiter la fameuse abbaye où Chopin vécut ! Et la pharmacie qu'elle cherchait est celle du monastère... Et comme elle ignorait qu'il y a ici des cellules transformées en appartements privés, voyant une porte entrouverte, elle l'a poussée. Après tout, ma chère amie, c'est votre faute. Si vous fermiez votre appartement, vous n'auriez pas de visite impromptue.

Il se tourna vers Marine :

— C'est bien cela, n'est-ce pas ?

La jeune fille regarda ce profil parfaitement structuré que détendait un sourire mi-ironique, mi-amusé. Il n'y avait plus rien de méchant dans ces yeux brunsdorés, presque amicaux ; mais il la regardait d'une façon bizarre, et il y avait dans ce regard quelque chose qui touchait chez la jeune fille une corde à peine perceptible et ignorée d'elle jusqu'alors. Que lui arrivait-il ?

Bien qu'elle fût soulagée par ce que venait de dire Jean de Seize, elle restait pourtant troublée jusqu'au fond de l'âme.

Elle murmura :

44

— Oui...

Et elle s'excusa :

— Comme vous m'aviez autorisée à me servir de la voiture et que j'avais terminé mon travail, j'ai eu envie de voir un peu Majorque... Valldemosa était le seul endroit dont j'avais entendu parler, je n'ai pu résister à l'envie de visiter la chartreuse.

A son tour, le visage de Reine, qui était un véritable miroir de ses pensées et de ses sentiments, se déridait ; elle grogna, mais cette fois-ci avec une sorte de sympathie :

— Eh bien, il fallait le dire tout de suite, jeune fille ! Ce n'est pas nous qui allons vous gronder pour ce pèlerinage musical ! Et après tout, comme dit Jean, je n'avais qu'à mieux fermer ma porte.

Son ton avait changé du tout au tout... Marine en eut immédiatement l'explication :

— Je vous avais prise pour une journaliste. Ces mécréants n'arrêtent pas de me poursuivre !

Ainsi la jeune fille ne s'était pas trompée : c'était bien cela qu'avait craint la cantatrice. Mais si elle avait peur à ce point des journalistes, c'est qu'elle tenait à dissimuler quelque chose qui, étant donné sa personnalité et ses habituelles aventures, ne pouvait être qu'une histoire d'amour.

Reine devait avoir dans les trente-cinq ans ; grande, imposante, à l'allure de Junon, ce n'en était pas moins une fort belle femme au corps sensuel, à laquelle la rumeur publique disait que les hommes ne résistaient guère.

« *Après tout*, pensa Marine, *qu'est-ce que cela peut me faire... Ils sont libres, tous les deux, et cela ne me regarde nullement !* »

Alors, pourquoi son cœur battait-il ainsi la chamade ?

— Ils me rendent folle, continuait à expliquer Reine... Je finis par en voir partout ! C'est tout juste si le soir, en me couchant, je ne regarde pas sous mon lit pour voir s'il n'y a pas un photographe caché dessous. Ces chameaux me font une vie impossible !

Elle échangea avec le pianiste un sourire complice :

— Et, en ce moment surtout, je n'ai pas besoin d'enquiquineurs !

Jean de Seize baissa la tête en signe d'acquiescement.

Reine avait un langage bien à elle, dont la virulence et les adjectifs, parfois étonnants, étaient encore augmentés par le timbre de sa voix, profond et puissant. Mais ce ne devait pas être une méchante femme.

Elle regarda la jeune fille, qui, sous ce flux de paroles, ne trouvait plus rien à dire.

— Allons, ne restez pas là comme si vous étiez empaillée. Asseyez-vous. Vous allez prendre le thé avec nous.

En roulant à travers les oliviers, sous un ciel nuancé de rose et de pourpre par le soleil couchant, Marine ne pouvait s'empêcher de penser aux heures qu'elle venait de passer. Un après-midi qui n'avait rien eu à voir avec celui qu'elle avait envisagé en partant visiter l'abbaye de Valldemosa.

Certes, le lieu en lui-même était enchanteur, tel que George Sand l'avait décrit :

« *La chartreuse était si belle sous ses festons de lierre, la floraison si splendide dans la vallée, l'air si*

pur sur notre montagne, la mer si bleue à l'horizon .
C'est le plus bel endroit que j'aie jamais habité et un
des plus beaux que j'aie jamais vu ! »

Mais les heures qui avaient suivi sa découverte
étaient encore, pour Marine, plus extraordinaires.
Son involontaire indiscrétion avait eu des résultats
diamétralement opposés à ceux qu'elle avait d'abord
redoutés.

Une fois que la cantatrice avait réalisé son erreur
et qu'elle avait été sûre que c'était vraiment par
hasard que la jeune fille avait pénétré chez elle, son
comportement avait changé du tout au tout. Proven-
çale, Reine en avait toute la faconde méridionale,
mais aussi toute l'amabilité. Elle s'était montrée avec
Marine d'une gentillesse qui avait profondément
touché celle-ci.

La cantatrice aimait manger et boire, et le thé en
question était une véritable collation de gâteaux et de
sandwichs.

La jeune fille ne put s'empêcher d'être stupéfaite
de la quantité de petits fours ingurgités par la
chanteuse. Et comme Jean de Seize, moqueur, lui
avait dit :

— Reine, pensez-vous de temps à autre à votre
ligne ?

Scandalisée, la « diva » lui avait jeté :

— Je perds deux kilos chaque fois que je chante...
Si je ne veux pas devenir invisible et sans voix, il faut
bien que je me nourrisse !

Elle s'était tournée, faussement courroucée, vers
Marine :

— Calculez : je parais en scène au moins deux

cents fois dans l'année ! A deux kilos par soir, je perds...

Elle s'était arrêtée, bouche ouverte, la main tenant un biscuit, immobilisée, vivante et spectaculaire image de la terreur :

— Mais c'est effrayant ! Je n'avais jamais fait ce calcul... Quatre cents kilos !... Mais il faut que je mange... Non pas pour vivre, comme le préconisait Harpagon... mais pour ne pas mourir !

Et, derechef, elle avait avalé le biscuit qu'elle tenait tandis que sa main se tendait déjà vers un autre gâteau !

C'était si drôle que Marine n'avait pu s'empêcher de rire. Ce qui avait ravi la cantatrice, qui adorait qu'on s'amusât de ses saillies.

Moitié bouffonnant, moitié sérieuse, elle avait mis ainsi la jeune fille à son aise ; elle l'avait vite traitée avec une amitié un peu protectrice, due (Marine le sentit) beaucoup plus à la différence d'âge qu'à la différence sociale : être une « diva » internationale semblait n'avoir nullement tourné la tête de la jeune femme.

Mais si elle savait faire rire ses amis en se moquant spirituellement d'elle-même, elle retrouvait tout son sérieux quand elle parlait de son métier, avec une ardeur et une passion qui prouvait combien elle l'aimait.

C'était cela surtout qui avait séduit Marine : cet amour du « bel canto ». Elle-même adorait l'opéra. Oubliant sa timidité, elle avait parlé avec la célèbre chanteuse comme jamais elle n'aurait pensé le faire, au début de leur entrevue...

Jean de Seize lui-même, si froid d'habitude quand il était seul avec sa secrétaire, s'était révélé un autre homme, plein de séduction, très proche de celui qu'elle avait imaginé quand elle ne le connaissait pas encore.

Lorsque la jeune fille s'était levée pour partir, d'un mouvement spontané Reine l'avait embrassée, et puis elle s'était tournée, indignée et véhémente, vers Jean :

— Cette petiote, elle doit s'ennuyer à mourir, toute seule à longueur de journée. Emmenez-la donc de temps en temps chez des amis… Qu'elle connaisse des gens, qu'elle sorte un peu !

D'un vague signe, le pianiste avait semblé acquiescer… Mais cela n'avait pas été plus loin. Marine doutait fort qu'il tînt cette aléatoire promesse.

C'était cet après-midi, sortant de l'ordinaire, que Marine repassait dans sa tête, assise devant une grande table de bois, dans le restaurant où elle allait dîner.

Subitement, un peu grisée par ce qu'elle venait de vivre, la jeune fille n'avait plus eu envie de rentrer tout de suite. Pourquoi ne dînerait-elle pas dehors ? Il lui suffirait de téléphoner à Magdalena pour que la brave femme ne s'inquiétât pas. Quant à Jean de Seize, elle n'avait nullement à l'avertir, puisqu'il était resté chez Reine.

Quelques kilomètres plus loin, elle avait aperçu un restaurant : « El Demonio » (« Le Démon »)… Un grand diable noir en carton-pâte, cornu et brandissant sa fourche, entre deux arcades, imageait cette bizarre enseigne.

La jeune fille était entrée et avait d'abord été surprise par les dimensions de l'immense salle. Les tables de chêne vernies, sans nappe, mais d'une propreté immaculée, étaient pourtant presque toutes occupées par des familles majorquines. Marine eut l'impression qu'elle était la seule étrangère dans ce restaurant typiquement espagnol.

Malgré la chaleur, un grand feu brûlait dans une immense cheminée de coin devant laquelle s'activait une femme : repoussant les bûches en flammes, elle ramenait uniquement sur le devant du foyer les braises : elle faisait griller sur cet énorme foyer des boudins, des saucisses, des côtelettes de mouton ou de porc qui firent envie à la jeune fille.

Des poutres du plafond pendaient par centaines les jambons, les soubressades — charcuterie typiquement espagnole —, les colliers d'ail et d'oignons. Tout cela créait une ambiance chaude, amicale, malgré la grandeur de la salle.

Avant même qu'elle eût commandé quoi que ce soit, un serveur avait posé devant Marine du pain, un pichet de terre rempli de vin rouge et une assiette d'olives vertes. La jeune fille en prit une et fut surprise par son goût très spécial : c'étaient des olives de l'île, préparées selon une recette sûrement millénaire, cassées et mises à mariner avec du fenouil pendant quelques mois, avant d'être dégustées.

Marine les trouva délicieuses ainsi que le pain paysan fait moitié de farine de blé, moitié de farine de maïs.

On venait de servir à la jeune fille une « soupe majorquine », plat national de l'île composé de choux, de petits morceaux de lard et de viande de porc, jetés sur du pain coupé en tranches très minces. Elle était ravie de s'être arrêtée pour dîner au lieu de rentrer directement.

Tout en dégustant la soupe — délicieuse ! —, elle

revivait avec passion le moindre détail de cette journée : « *imprévue et merveilleuse* », pensa-t-elle.

Et pourtant, malgré la chaude sympathie que lui avait manifestée Reine, en dépit du changement de ton de Jean à son égard, Marine s'aperçut avec étonnement que ces heures passées en leur compagnie ne lui laissaient pas seulement un souvenir de bonheur. Un autre sentiment s'y mêlait, confus, incompréhensible, mais qui donnait à cet après-midi « merveilleux » un arrière-goût d'amertume.

Marine goûta le vin, un peu âpre mais parfumé... Le serveur lui apportait maintenant des côtelettes grillées à point. Elle se dit qu'elle avait vraiment beaucoup de chance. D'où lui venait alors cette sorte d'angoisse qui l'étonnait ? Inexplicablement, elle avait le « cœur gros » comme elle disait, enfant, lorsque quelque chose l'avait peinée.

A nouveau, dans la voiture, elle essayait de s'expliquer à elle-même, sans y parvenir, cet étrange sentiment de... de frustration. Oui, c'était cela : comme si on lui avait pris quelque chose qui lui appartenait.

Marine haussa les épaules, fâchée contre elle-même. Vraiment, que lui prenait-il ?

Peut-être, pensa-t-elle, était-ce d'être séparée de sa mère pour la première fois de sa vie ? Mais elle savait qu'elle se leurrait et que ce n'était pas cela. Mais quoi, alors ?...

Ses pensées revinrent sur « Don Juan » et Reine.

Elle était sûre maintenant d'avoir élucidé ce qu'elle avait appelé en elle-même « l'énigme Jean de Seize » ; cette énigme-là était fort simple, et portait un nom : Reine ! Il ne faisait plus l'ombre d'un doute pour la jeune fille que la cantatrice et le pianiste étaient amants, ce qui expliquait pourquoi celui-ci n'était jamais chez lui... Et Marine était bien obligée de le reconnaître : cette liaison la gênait, lui était même désagréable. Elle n'était plus un bébé pour être scandalisée par une union irrégulière. Et pourtant, elle réagissait comme si elle en avait été choquée.

« *C'est parfaitement ridicule*, pensa-t-elle. *Nous ne sommes plus en 1830... D'ailleurs, les amours romantiques de Chopin et George Sand ne m'offusquent nullement. Alors, pourquoi celles de Reine Cassar et de Jean de Seize me font-elles cet effet ? Que m'importe, après tout ?* »

Elle haussa les épaules, ne se comprenant pas elle-même.

La Volvo avait quitté les oliviers centenaires et les gigantesques caroubiers. Les pins, peu à peu, les avaient remplacés ; entre eux on apercevait des flaques de lumière qui étaient la mer brillant sous le clair de lune.

La maison de Jean de Seize surgit, blanche, gaie, conçue, semblait-il, pour le plaisir de vacances heureuses.

Alors, pourquoi y avait-il tant de tristesse dans le cœur de Marine ?

5

A l'agréable surprise de Marine, « Don Juan » se montra le lendemain nettement plus cordial que les matins précédents. Certes, il restait le « patron » un peu distant, très strict dans le travail, mais cela, la jeune fille le comprenait et ne s'en formalisait pas. En revanche, une fois qu'ils eurent fini de travailler, il s'attarda quelques moments avec elle :

Prenez le hors-bord, dit-il, et, en suivant la côte, faites donc une promenade en mer. Vous allez trouver des îlots où personne ne va, des plages calmes où vous pourrez vous dorer au soleil sans qu'aucun touriste ne vienne vous déranger.

Lui-même devait fréquemment pratiquer ce sport, car Marine avait remarqué combien il était bronzé. A tel point que ses cheveux, ainsi que les poils légers qui bouclaient sur sa poitrine, étaient décolorés par le soleil et la mer. Cela lui donnait l'allure virile d'un audacieux condottiere bien plus que celle d'un calme pianiste, si célèbre fût-il.

Maintenant, devant la petite baie où étaient ancrés les deux bateaux, la jeune fille, en maillot de bain, regardait avec envie les hors-bords. Le plus gros des deux était déjà un puissant bateau à la ligne aérodynamique qui, grâce à son moteur de cent cinquante chevaux, pouvait sûrement atteindre une jolie vitesse. Blanc, sa ligne était encore affinée par une large bande verte ; on retrouvait la même couleur dans le rouf aux banquettes de cuir que Marine apercevait par sa porte restée ouverte : un magnifique bateau, mais qui exigeait sûrement de bonnes connaissances pour être conduit.

A ses côtés se balançait mollement un Zodiac de cinq mètres. Lui aussi, dans son genre, était un agréable hors-bord. C'était le bateau gonflable que — ainsi que le lui avait dit Jean de Seize — la police maritime employait. Justement parce que ces gros boudins d'air qui en formaient les côtés lui assuraient une stabilité parfaite. Bouchon sur l'eau, il était presque impossible qu'il se renversât. Marine le connaissait bien pour l'avoir pratiqué avec des amis qui en possédaient un.

Entrant jusqu'à mi-corps dans l'eau pour pouvoir sauter dans le petit hors-bord, elle posa le pied sur la marche placée en bas du moteur. En connaisseur, elle apprécia celui-ci : un Mercury vingt chevaux. Un bateau aussi léger devait faire au moins, avec un tel moteur, vingt nœuds. Elle tira le démarreur deux fois sans succès. A la troisième, un puissant bourdonnement se fit entendre.

Marine défit le « bout » qui retenait le hors-bord à une amarre fixée sur un rocher. Puis, mettant le moteur en marche, lentement, elle le dirigea hors de la baie.

Devant elle, la mer s'étalait sans une vague, sans la moindre ride. Un voilier, à l'affût d'une brise qui ne venait pas, faisait du surplace.

Marine poussa le moteur au maximum. Le Zodiac leva le nez, puis le baissa : bondissant sur la mer, il s'élança vers le large. La jeune fille était folle de joie. Elle adorait faire du bateau, et celui-ci, au ras des flots, lui procurait un plaisir extrême. Elle mit le cap sur une petite île qui lui parut déserte. Facilement, elle mouilla dans une rade naturelle, et, plongeant dans l'eau, gagna en trois brasses le rivage.

L'îlot était constitué par un énorme rocher plat que les intempéries avaient creusé par endroits en forme de gradins. Seuls les mouettes et de minuscules lézards noirs en étaient les habitants. Sans hésiter, Marine défit son soutien-gorge ; autant profiter du soleil au maximum puisque personne ne pouvait la voir !

Allongée sur un matelas de plage qu'elle avait trouvé dans le bateau, le soleil et un vent léger la pénétraient d'une douceur sensuelle qui la fit soupirer de bien-être. Quel agréable travail était celui qui lui permettait de prendre des vacances enchanteresses !

En face d'elle, il y avait une grande plage dont elle apercevait les parasols serrés les uns contre les autres, et d'immenses hôtels qui gâchaient un peu le paysage...

La timidité de Marine lui faisait aimer la solitude. Elle était ravie de n'être pas exposée au milieu de tous ces touristes, mais d'être seule sur « son » îlot. Des bateaux de pêche, les *Ilauds* — grosses barques ventrues munies d'une voile et d'un moteur —, passaient devant elle... Marine les suivait d'un œil amusé. Puis ce furent deux hors-bords qui faisaient la course, de patients voiliers, qui tentaient de profiter du moindre souffle d'air...

Cette mer paisible d'un bleu clair avec des traînées plus foncées lui donnait envie de se baigner. Elle mit son masque et ses palmes, qu'elle avait emportés, et plongea. L'eau était tiède, presque trop.

Le fond de la mer était parsemé de petites taches noires qui l'intriguèrent. Elle s'en approcha : des oursins ! Il valait mieux qu'elle ne mette pas le pied sur leurs piquants... En revanche, elle eut follement envie d'en pêcher. Elle adorait ces fruits de mer au goût délicat.

« *La prochaine fois que je viendrai,* se promit Marine, *je demanderai à Magdalena de me préparer du pain et du beurre, et je ferai un déjeuner d'oursins sur " mon " îlot.* »

D'avance, elle se régalait à cette perspective. D'une brasse allongée, elle revint vers le rivage et s'allongea à nouveau, offrant un corps parfait à la caresse du soleil.

Elle avait emporté avec elle la carte de Majorque. Paresseusement, elle la déplia et, couchée sur le ventre, la déploya pour y choisir ses promenades futures. Décidément, elle aimait de plus en plus cette île enchanteresse et commençait à comprendre pourquoi ceux qui y avaient une propriété y revenaient tous les ans, sans s'en lasser.

Du doigt, elle suivit sur la carte les lignes rouges et jaunes, qui étaient les chemins menant aux différents points de l'île.

Un nom la frappa : « Manacor ». C'était la ville des perles et des bijoux artisanaux. A Valldemosa, Reine Cassar lui en avait parlé, lui recommandant d'y aller.

« Sur trois magasins, deux sont des bijouteries ; un vrai rêve de femme, cette ville », lui avait-elle dit dans son langage imagé. « Et, de plus, des rêves réalisables, car on y travaille encore la nacre, l'ivoire et les pierres semi-précieuses d'une manière artisanale, ce qui permet d'avoir de jolies choses, que l'on ne trouverait pas ailleurs, à des prix convenables. »

Mais est-ce que des prix « convenables » pour la cantatrice l'étaient aussi pour Marine ? Elle se le demanda. De toute manière, elle pouvait toujours aller y « rêver ».

« *Il faut que je profite*, pensa la jeune fille, *d'un jour où " Don Juan " sera en mer. Je partirai immédiatement sans déjeuner... C'est quand même à soixante kilomètres.* »

D'autres promenades la tentaient : l'île, très variée, lui offrait ses montagnes, ses vaux, ses ports, ses plages...

Si Jean de Seize continuait à être aussi aimable qu'il l'avait été la veille, ces trois mois seraient parmi les plus agréables de la vie de Marine.

Pourtant, en évoquant le pianiste, elle ne pouvait s'empêcher de ressentir cette même tristesse qu'elle avait éprouvée une première fois à Valldemosa.

Elle pensa à nouveau avec étonnement que, pas une fois, depuis qu'elle était arrivée, elle n'avait entendu jouer le pianiste. Cela la sidérait et presque la scandalisait ; ce silence était obsédant comme un mystère... Et n'en était-ce pas un ?

— Alors ?... Cette promenade ?... Comment s'est-elle passée ?

Marine rentrait, encore chaude de soleil, les cheveux mouillés par la mer, plaqués sur ses épaules nues qui commençaient déjà à bronzer ; naïade aux longues jambes parfaites que découvrait le maillot de bain. Dans l'allée qui montait vers la maison en serpentant à travers les pins, elle venait de se jeter sur Jean de Seize, qui, lui, descendait vers la mer. Nu, sauf un slip noir, il marchait avec la nervosité d'un animal sauvage qui ne connaît pas le repos. Pourtant, en la voyant, il s'était arrêté, tandis que le visage de la jeune fille s'éclairait d'un sourire d'enfant.

Il la regarda avec une admiration tellement visible pour ce beau corps dénudé que, sous ce regard d'homme, elle se sentit encore plus nue et ne put s'empêcher de rougir. Il dit :

— Décidément, vous êtes beaucoup mieux ainsi que déguisée en secrétaire modèle.

Sérieux, il ajouta :

— Vous êtes d'ailleurs une secrétaire parfaite, et je n'ai que des compliments à vous faire sur votre travail.

Il eut un léger sourire teinté d'ironie :

— Alors, vous pouvez renoncer sans crainte à votre affreux chignon et à votre robe de demoiselle bien-pensante ; cela ne changera rien à nos relations.

Au lieu de continuer vers la plage, le pianiste avait fait demi-tour et remontait avec Marine. Il était si amical qu'elle lui répondit sur le même ton en riant, oubliant un instant qu'elle était son employée :

— C'est promis, je mettrai dorénavant ma tenue ordinaire, un jean et un chemisier... Et mes cheveux sur mes épaules !

« Don Juan » était si hâlé par le soleil qu'il ressemblait à une statue de bronze en mouvement. Malgré son mètre soixante-neuf, Marine lui arrivait à peine à l'épaule. Ils marchaient tous deux du même pas lent, nonchalamment, comme un couple qui, après une promenade en mer, rentre chez lui. L'émotion serra la gorge de Marine. Jamais, sauf de sa mère, elle ne s'était sentie aussi proche de quelqu'un. C'est pourquoi elle osa lui demander, d'une voix timide :

— Comment se fait-il que jamais vous ne jouiez du piano ? Un virtuose comme vous...

Elle s'arrêta net, la bouche ouverte sur le cri de souffrance que venait de lui arracher la douleur.

Jean l'avait saisie par le poignet et serrait celui-ci avec une telle force qu'elle crut qu'il le lui avait cassé. Un rictus de fureur déformait son beau visage et il hurlait comme un dément :

— De quoi vous mêlez-vous ? Comment, vous, une secrétaire, osez-vous me parler de musique ? Vous voulez me donner des conseils, peut-être... Allez-vous-en au diable !

Brutalement, il l'avait attirée vers lui pour parler ; dans sa colère, il la repoussa en même temps qu'il lui lâchait le poignet. Déséquilibrée, Marine tomba, mais, sans s'en préoccuper, Jean de Seize repartit à grandes enjambées vers la mer.

Ramassée sur elle-même, massant son bras endolori, Marine pleurait de douleur et d'humiliation. Quelques secondes auparavant, le pianiste semblait si bienveillant, si amical... Et en fait, elle le réalisait maintenant, elle n'était pas pour lui plus que la machine à écrire dont elle se servait !

Mais même si elle avait eu tort de lui parler ainsi, si elle avait oublié quelques minutes qu'elle était, comme il le lui avait jeté à la figure, sa « secrétaire », était-ce une raison pour la brutaliser ?

A demi allongée sur les aiguilles de pins, tièdes encore de soleil, elle pleurait, telle une petite fille abandonnée, à gros sanglots. Et ce n'était ni la douleur physique ni l'humiliation ressentie qui la désespéraient, mais autre chose, qu'elle n'analysait pas encore nettement.

« *Oh! maman!* murmura-t-elle. *Maman, si tu étais seulement près de moi, tu me consolerais, tu m'aiderais à voir clair en moi!* »

Elle se revit fillette, écoutant religieusement un disque de Jean de Seize tandis que sa mère se moquait gentiment d'elle « Mais, ma parole, tu en es amoureuse, ma chérie! »

Malgré la chaleur de cette fin de journée, Marine se sentit subitement glacée. Elle venait de comprendre ce qui lui arrivait : sa mère ne croyait pas si bien dire ; oui, déjà, sans le savoir, elle était, petite fille, amoureuse du pianiste... Et maintenant, maintenant que par un hasard extraordinaire elle vivait auprès de lui, cet amour enfantin était devenu bel et bien celui d'une femme.

D'un seul coup, elle comprit pourquoi l'après-midi passé avec Reine et Jean lui avait laissé une telle tristesse. Tout à la fois, elle s'était prise d'amitié pour la cantatrice et, en même temps, elle en avait été abominablement jalouse.

« *Comme s'il pouvait seulement faire attention à moi, sa " secrétaire ",* pensa-t-elle avec dérision. *Alors qu'il a dans sa vie cette diva, non seulement belle, mais célèbre. Cette Reine qui est une vraie femme, avec toute la séduction que cela comporte, et non pas une insignifiante petite jeune fille!* »

Mais il y avait pire : Jean de Seize, elle en était sûre, la méprisait et la détestait à la fois. Sinon, pourquoi se serait-il ainsi conduit ?

Elle se rappela avec désespoir l'homme plein de

charme et de séduction qu'elle avait découvert à la chartreuse. Mais il était avec la femme dont il était amoureux :

« *Un fauve*, pensa-t-elle découragée, *qui fait patte de velours ou sort ses griffes, selon qu'il vous aime ou non !* »

Lentement, le visage encore humide de larmes, elle se leva, et se dirigea vers la maison.

Comme elle en était toute proche, elle entendit Magdalena qui, du patio, l'appelait à grands cris :

— Senorita !... Senorita !...

Que lui voulait-on encore ? Qu'y avait-il ?

Elle courut vers la maison. La Majorquine lui montrait du doigt le téléphone.

— Para vos...

Pour elle ? Qui pouvait l'appeler ici ? Pourvu qu'il ne fût rien arrivé à sa mère ! D'une main tremblante elle saisit le récepteur. Au bout du fil, une voix, qu'elle crut d'abord masculine, disait avec une énergie exaspérée :

— Mais enfin, Magdalena... Vous allez me la passer, cette petite...

— Ce n'est pas Magdalena, dit Marine, c'est...

— Ah ! la coupa la voix, que du coup elle reconnut, c'est vous, mon petit chou...

Elle n'avait pas à se méprendre, ces intonations chaudes, aux notes basses, ne pouvaient appartenir qu'à Reine Cassar.

La chanteuse continuait :

— Je voulais avoir Jean, mais il paraît qu'il est sorti : alors j'ai demandé qu'on vous appelle... C'est urgent, il faut que vous disiez à Jean que je l'attends jeudi soir pour dîner.

Elle rugit dans l'appareil :

— Sans faute !

— Très bien, dit Marine d'une voix tremblante, retenant difficilement ses larmes, je vais lui faire un mot que Magdalena déposera dans sa chambre Comme cela, il sera prévenu dès qu'il rentrera.

Ainsi, pour ajouter à sa souffrance, elle servait maintenant de messagère aux amants. La jeune fille ne désirait plus qu'une chose : raccrocher et aller s'enfermer dans sa chambre pour donner libre cours à ses sanglots.

Mais à l'autre bout du fil la cantatrice ne semblait pas pressée d'en faire autant : Elle toussa énergiquement, puis baissa la voix, comme si elle risquait d'être entendue. Ce qui permit à Marine de rapprocher l'écouteur de son oreille.

— Il faut dire à Jean que je veux qu'il vienne parce que Guy sera là.

La voix était remontée. Elle semblait maintenant emplie d'une joie intense :

— Ma chérie, je sais qu'à vous je peux me confier : Guy, c'est l'homme qui fait que j'ai tellement peur des journalistes ! Autrement dit, ajouta-t-elle sur un ton plus calme, c'est l'homme que j'aime ! Et je veux ab-so-lu-ment, rugit-elle, que Jean fasse sa connaissance !

Telle était la stupéfaction de la jeune fille qu'elle en oubliait de répondre.

La voix impatiente de Reine résonna à nouveau dans l'écouteur.

— Allô... allô... Vous êtes toujours là, Marine ?

La jeune fille se ressaisit.

— Oui... oui...

— Vous avez bien compris ?

— Oui, je transmettrai votre message, soyez sans crainte !

Elle ajouta gentiment avant de raccrocher :

— Et je vous souhaite d'être très heureuse !

Un rire pareil à un hennissement — à croire que toute une ménagerie était au téléphone — lui répondit, ne lui laissant aucun doute à ce sujet...

Ainsi, contrairement à ce que Marine avait cru, Jean de Seize n'était pas l'amant de la cantatrice. Simplement un ami ! Il lui sembla que la joie se répandait comme un fluide magique dans ses veines.

Et puis d'un seul coup cette source de bonheur se tarit : qu'il aimât ou non Reine, ne changeait rien par rapport à elle.

Son poignet, qu'elle avait oublié, sous le coup de l'émotion, par une soudaine douleur ramena Marine à la réalité. Elle était la « secrétaire » de Jean de Seize, pensa-t-elle avec amertume, pas autre chose... C'est-à-dire que pour lui elle n'était rien !

Avec un désespoir d'autant plus grand que, pendant quelques minutes, elle avait tout oublié, la jeune fille se rendait compte que ces trois mois qu'elle allait passer auprès de l'homme qu'elle aimait, au lieu d'être un paradis, risquaient fort d'être un enfer. Tenant son poignet douloureux dans son autre main, elle se dirigea lentement vers le patio.

Dehors, le soleil avait disparu, et la nuit tombait, déployant ses ailes noires au-dessus de la demeure.

Marine frissonna. Sur cette maison qui lui avait semblé conçue pour le bonheur, un sombre mystère semblait planer.

6

« *Q*ue vais-je faire ? »

Marine, après une mauvaise nuit, retournait pour la centième fois cette question dans sa tête et ne pouvait trouver aucune réponse.

Jean de Seize lui avait jeté : « Allez au diable ! » Cela signifiait-il qu'elle devait faire ses valises et partir, ou était-ce simplement une phrase dite dans la fureur du moment ? Devait-elle lui faire des excuses pour s'être mêlée de ce qui, aux yeux du musicien, la concernait d'autant moins qu'il ignorait qu'elle-même était pianiste ?

Elle se morigéna. La vérité, c'est que, tout en sachant qu'elle devait fuir cet homme, elle n'avait pas le courage de le quitter.

Machinalement, elle refaisait le chignon qu'il lui avait demandé de ne plus porter. Qu'importait, maintenant ? Ses mains lasses en retirèrent pourtant les épingles, laissant ses cheveux se répandre sur ses épaules. Elle regarda avec inquiétude son poignet meurtri, gonflé... Lui permettrait-il de taper à la machine ? Elle avait du mal à le remuer.

Devant la porte de sa chambre, elle hésitait encore

sur ce qu'elle devait faire, et puis son courage lui revint : il valait mieux affronter le fauve dans sa cage : elle allait comme d'habitude se rendre dans le petit bureau où devait l'attendre Jean de Seize. Elle avait déjà cinq minutes de retard. Elle verrait bien ce qu'il dirait. Son comportement à elle dépendait de celui de son « patron ».

Mais, malgré sa ferme volonté, sa main tremblait sur le bouton de la porte du bureau. Elle l'ouvrit : la pièce était vide.

Bien en évidence, sur la machine à écrire, était posée une feuille de papier sur laquelle, de sa grande écriture, Jean de Seize avait jeté quelques mots :

« *Veuillez m'excuser pour ma brutalité d'hier soir. Mais si vous voulez que nos rapports restent agréables, ne me parlez plus jamais musique...* »

« Jamais » était souligné plusieurs fois, rageusement.

Un soupir échappa à Marine : elle était tout à la fois soulagée et au bord des larmes. Il ne la renvoyait pas, comme elle l'avait craint, mais les choses étaient nettement mises au point. Elle restait une employée modèle pendant ces trois mois. A la fin, il lui dirait « au revoir et merci », et ce serait terminé. Plus jamais sans doute elle ne le reverrait... Sauf à ses concerts, si elle avait le courage d'aller l'entendre.

En post-scriptum, le pianiste avait ajouté : « *Je pars pour deux ou trois jours. En mon absence, contentez-vous de répondre au téléphone* ».

Elle fut d'abord heureuse de ces quelques jours de liberté qui allaient lui permettre de se ressaisir, de redevenir Marine-secrétaire. D'oublier qu'elle était Marine-pianiste. Mais pourrait-elle oublier aussi qu'elle était follement, passionnément amoureuse de

65

« Don Juan ? » Car elle ne pouvait plus en douter, rien qu'à la jalousie qui s'emparait subitement d'elle. Un ouragan venait de la dévaster : où était-« il » allé passer ces deux ou trois jours ? Près d'une femme, sûrement. Les journaux ne s'étaient pas fait faute de le présenter comme un séducteur : « Jean de Seize ou Don Juan ? » avait titré un jour l'un d'eux, jouant sur son nom espagnol.

Que n'aurait-elle pas donné pour aller se mettre devant le piano, poser ses doigts sur le clavier, oublier tout dans la joie de jouer ! Mais, même en l'absence du musicien, elle n'osait pas. D'abord, elle était incapable de faire quoi que ce soit en cachette, puis Magdalena, en toute innocence, risquait de le dire à son patron.

Elle frémit à la pensée de la colère que cela pourrait déchaîner chez Jean de Seize ; jusqu'où irait-elle cette fois-ci ?

A nouveau, elle se demanda pourquoi la question qu'elle lui avait posée l'avait mis dans cet état de fureur démente. Car c'était vraiment un homme qui n'avait plus le contrôle de ses nerfs, quand il lui avait serré le poignet à le tordre. Même en admettant qu'une secrétaire n'avait pas à se mêler de ce qui regardait uniquement son patron, ce n'était pas là une raison suffisante pour justifier une telle rage.

Et obsédantes, comme de grands oiseaux noirs qui auraient tourné sans cesse autour d'elle, les mêmes pensées la harcelèrent. Pourquoi Jean ne faisait-il jamais ces quotidiennes heures de piano obligatoires pour un virtuose s'il ne veut pas perdre son doigté ? Pourquoi — fait encore plus extraordinaire — refusait-il tous les concerts qu'on lui proposait ? Corbeau tragique, une de ces noires idées s'imposa à elle : le pianiste se savait-il atteint d'une maladie incurable ?

L'angoisse lui serra la gorge au point de la faire presque défaillir. Et puis elle se ressaisit ; ce ne pouvait être cela : un musicien, lui semblait-il, même dans ce cas, devait jouer jusqu'à son dernier souffle. Chopin n'en était-il pas la preuve ?

Elle haussa les épaules, comprenant combien était naïve la raison qu'elle se donnait pour éloigner d'elle l'image insupportable de la dame à la faux ! Chaque homme ne réagit-il pas selon son tempérament ?

Plus probable pourtant lui sembla un mal qui aurait atteint les mains du pianiste. Ces mains sans lesquelles il ne serait plus rien. Elle se souvint d'avoir connu, lorsqu'elle était encore au conservatoire, une violoniste dont les doigts atteii.. d'arthrose peu à peu s'étaient déformés, puis complètement paralysés. Marine se rappelait le calvaire de cette femme, et sa fin tragique : ne pouvant plus jouer du violon, elle s'était suicidée.

Était-ce cela qui, guettant Jean de Seize, l'avait obligé à renoncer à sa carrière ? La jeune fille évoqua ses mains : Les plus belles mains d'homme qu'elle eût vues de sa vie. Tout à la fois fines et puissantes, qui touchaient un clavier comme elles auraient caressé le corps d'une femme...

Un frisson la parcourut au souvenir de la veille. Quelques secondes, Jean avait posé sa main sur l'épaule nue de la jeune fille ; un geste si naturel qu'elle ne pouvait s'en offusquer, mais qui l'avait troublée profondément. Et presque aussitôt après cette même main était devenue cette poigne d'acier qui lui broyait le poignet. Si ces doigts étaient atteints irrémédiablement, auraient-ils eu encore cette force diabolique ?

Elle revécut la scène : cette fureur qui déformait le visage si beau et si noble du musicien, le transformant en un masque grimaçant... Était-il totalement responsable d'une colère qu'il semblait ne pouvoir maîtriser ? N'était-ce pas la peur qu'une crise le prît en public, qui faisait qu'il ne voulait plus jouer ?

Qui était vraiment Jean de Seize ? Un malade ? Un homme implacable, orgueilleux, despotique ? Ou... un dément ?

Dans la patio, tout était en place : l'hibiscus rose, en fleurs, le soleil, la mer qui brillait à travers les arcades. Sa beauté semblait vouloir accueillir et consoler la jeune fille.

Elle s'assit à la petite table où Magdalena s'apprêtait à la servir. Avec qui déjeunait Jean de Seize ? A nouveau, la jalousie la griffait, lui faisant oublier le reste.

Peut-être Magdalena le savait-elle. La jeune fille se tourna vers elle. Marine avait honte de ce qu'elle allait faire, et pourtant ne pouvait s'en empêcher. Elle demanda en un espagnol un peu hésitant :

— Don Juan a hido a ver sus amigos ?

Alors que calmement elle détachait l'arête de la chair du rouget, son cœur, lui, battait follement. Quelle réponse allait être faite à sa question : quels amis était allé voir Jean ? Était-ce un nom de femme qu'allait dire Magdalena ? Marine le guettait sur ses lèvres. Mais Magdalena sourit largement, avec un rien de fierté.

— Amigos no. Es con Antonio al mar.

Marine la regarda stupéfaite.

— Don Juan est en mer avec Antonio ?

De surprise, elle avait parlé en français, mais la Majorquine comprit ce qu'elle disait. Elle hocha la tête :

— Pescando... un dia, dos, tres...

Ainsi, simplement, le pianiste était parti pêcher un jour ou deux, ou trois... Comme il le lui avait écrit. Il n'y avait là-dessous aucun mystère ; c'est-à-dire aucune femme.

Le soleil sembla plus lumineux à Marine et son rouget dix fois meilleur. Bien sûr, elle n'était pas très fière d'elle : n'avait-elle pas abusé de la simplicité de la servante, qui lui avait dit, en toute naïveté, la vérité ?

Pourtant, malgré la confusion qu'elle en ressentait, elle ne put s'empêcher, à nouveau, d'avoir envie de la questionner. Il est vrai que Magdalena s'y prêtait d'elle-même. S'ennuyant, seule à la cuisine, sans son Antonio, elle ne demandait qu'à rester avec la senorita et à bavarder avec elle.

Marine pensa qu'en parlant avec la Majorquine elle en apprendrait davantage sur « leur » patron. Magdalena était sans doute depuis longtemps à son service ; après lui avoir fait force compliments sincères sur sa cuisine, c'est ce qu'elle lui demanda :

— Trabaja usted desde mucho tiempo a su servicio ?

La brave femme se mit à rire et répondit, à l'étonnement de Marine :

— Un mes !

Un mois seulement... Antonio et elle n'étaient entrés au service de « Don Juan » que peu de temps avant que Marine fût engagée comme secrétaire. Cela coupait court à toutes les questions qu'elle aurait pu poser. Ils ne le connaissaient pas mieux qu'elle, plutôt moins bien.

La jeune fille pensa que sa curiosité était ainsi punie et que c'était bien fait pour elle. Mais une chose la surprenait : qu'elle-même, ainsi que les domestiques, fussent des « nouveaux ». Comme si Jean de Seize avait voulu rompre totalement avec les années passées, que rien ne subsistât d'elles. Était-ce une coïncidence ou un fait voulu par le musicien ?

La Majorquine venait d'apporter à la jeune fille un de ces cafés qu'on ne trouve qu'en Espagne ou en Italie : délicieux, d'un arôme subtil, servi en petite quantité comme un nectar. Tout en le savourant, Marine ne pouvait s'empêcher de penser que tout était bien mystérieux dans la vie de cet homme, que sa célébrité rendait pourtant presque publique.

Quoique personnellement elle s'en trouvât ravie, elle ne pouvait s'empêcher de s'étonner : quoi ? aucune présence féminine, aucune visite, aucune photo chez un homme qui avait toujours passé pour un séducteur... Contrairement à ce qu'on disait de lui, Jean de Seize semblait vivre en ascète.

Bien qu'elle n'eût que dix-neuf ans et qu'elle eût été un peu trop « couvée » par sa mère, Marine connaissait suffisamment la vie pour que cette misogynie du musicien ne lui semblât constituer un mystère de plus.

Pourtant, dans la même journée, un démenti total allait être donné sur ce dernier point à la jeune fille.

Encore sous l'émotion de la scène que lui avait faite Jean de Seize la veille, Marine n'avait pas eu envie de sortir. Elle se sentait lasse, désemparée, et avait préféré rester au soleil sur une chaise longue dans le patio, mi-lisant, mi-somnolant.

Il était à peu près 6 heures lorsque Magdalena vint la trouver : elle était obligée d'aller au village pour faire des courses puisque Antonio n'était pas là pour s'en occuper. La « senorita » serait-elle assez gentille pour aller, d'ici une demi-heure, vérifier si la machine à laver le linge s'était bien arrêtée automatiquement ?

En bonne paysanne, elle ne semblait avoir qu'une confiance relative dans les machines modernes. Marine s'empressa de la rassurer : elle pouvait compter sur elle ! Tranquillisée, la femme partit faire son marché, après avoir expliqué à la jeune fille où se trouvait la lingerie.

Trente minutes plus tard, consciencieusement, Marine se leva pour procéder à la vérification demandée.

Tout était silence dans la maison, que seul troublait par instants le cri d'un oiseau dans le jardin. Le grand couloir blanc que suivait Marine évoquait un peu dans sa sobriété le cloître de Valldemosa. Comme celles des cellules du monastère, des portes donnaient de chaque côté ; celle de la lingerie était la dernière sur la droite, avait indiqué Magdalena.

La jeune fille l'ouvrit.

Immobilisée par la stupéfaction, Marine restait sur le seuil, regardant et ne comprenant pas ce qu'elle voyait.

La pièce n'avait rien d'une lingerie. C'était une luxueuse chambre, visiblement créée pour le plaisir de quelqu'un. Tout le disait : le grand lit à colonnes légères, le « cabinet espagnol » où, sur vingt tiroirs, des scènes pastorales étaient retracées, les grands candélabres porteurs de bougies, les rideaux en étoffes majorquines tissées à la main.

Et ce « quelqu'un » ne pouvait être qu'une femme, et une femme éperdument aimée pour qu'on ait créé pour elle ce décor de rêve. Chaque objet ici, chaque meuble, le prouvait : le lit encore ouvert sur lequel était abandonnée une chemise de nuit : un flot de soie et de dentelles ; les petites mules restées sur le tapis de haute laine, comme si elles attendaient des pieds menus, délicats ; l'élégant déshabillé, assorti à la chemise de nuit et jeté négligemment sur un fauteuil ; et, sur la coiffeuse, le peigne d'écaille, les fards, les multiples pots de crème.

Marine comprit immédiatement son erreur. Sa mauvaise connaissance de la langue espagnole lui avait fait mélanger *derecha* (droite) avec *izquierda* (gauche) : la lingerie devait être de l'autre côté du couloir. Mais pour l'instant elle ne songeait même plus à y aller, tellement elle était étonnée par ce qu'elle voyait.

Dans sa poitrine, son cœur cognait à grands coups, battant la chamade. Ainsi, elle s'était trompée. Contrairement à ce qu'elle croyait, il y avait une femme dans la vie du musicien, et une femme qui vivait avec lui.

Comment se faisait-il qu'elle ne l'ait encore jamais vue ?

7

Où était la mystérieuse inconnue, dont c'était la chambre ? En voyage, sans doute. Et allait-elle bientôt revenir ? C'était la seule explication au fait qu'elle demeurât invisible.

Quelques heures plus tôt, Marine avait pensé qu'il était impossible que « Don Juan » n'ait pas une femme dans sa vie. Elle n'aurait donc pas dû être étonnée par sa découverte. Certes, mais la raison ne peut rien contre les raisons du cœur. Marine ne voyait qu'une chose : l'homme qu'elle aimait en aimait une autre !

Jamais elle n'avait espéré que le célèbre pianiste pût s'intéresser à sa modeste personne. Du moins, et en toute bonne foi, l'aurait-elle juré... Et pourtant le fait de le savoir amoureux d'une autre la bouleversait.

Elle était encore sur le seuil de la chambre lorsqu'elle entendit le vélomoteur de Magdalena qui rentrait du village.

Combien de temps la jeune fille était-elle restée ainsi immobile, figée sur le seuil de cette chambre d'amour : dix minutes... une heure ? Elle aurait été bien incapable de le dire.

Rapidement, elle referma la porte, alla dans la lingerie — qui était bien en face — contrôler la bonne marche de la machine, puis retourna sur le patio. Le soleil y jouait toujours parmi les lauriers-roses et les hibiscus, mais il lui sembla glacial, et son livre sans intérêt.

Un instant, la jeune fille pensa aller raconter à Magdalena ce qu'elle avait découvert... Même n'étant au service de Jean de Seize que depuis un mois, il était impossible qu'elle n'ait pas vu l'inconnue. Un fait frappa Marine. Comment se faisait-il que la pièce n'ait pas été faite ? Qu'elle soit restée ainsi en désordre ? Tout cela lui semblait incompréhensible. Si incompréhensible qu'elle jugea inutile d'aller se confier à la Majorquine. Cela ne risquait que de compliquer les choses si celle-ci en parlait ensuite à son patron. Ce dernier serait en droit cette fois-ci de reprocher à sa secrétaire de se mêler de sa vie privée... Et, étant donné son caractère, il valait mieux qu'il ignorât l'indiscrétion que, bien involontairement, elle avait commise.

Lorsque, deux jours plus tard, Jean de Seize rentra, il semblait que toute sa mauvaise humeur s'était envolée au vent du grand large.

Torse et pieds nus, bronzé, les cheveux décolorés par le soleil, vêtu seulement d'un pantalon délavé de marin, il avait l'air d'un corsaire qui vient d'arraisonner un bateau ou de conquérir le cœur de quelque belle. Où était-elle, sa belle ? Allait-elle rentrer bientôt et était-ce cela qui mettait dans les yeux de

« Don Juan » cette flamme que Marine n'y avait encore jamais vue ?

Avec une gaieté qu'elle ne lui connaissait pas non plus, il lui dit :

— Nous avons fait une pêche presque miraculeuse, avec Antonio. Magdalena m'a dit que vous aimiez le poisson. Eh bien, vous allez pouvoir vous régaler.

Il la regarda ; ce regard d'homme qui jauge une femme.

— Je vois que vous avez remis vos cheveux sur les épaules... Vous avez eu bien raison !

Il haussa les épaules, ironique, mais sans méchanceté :

— Je n'ai jamais cru que les chignons influaient sur la frappe de la machine, la connaissance de l'orthographe ou celle de l'anglais.

Il semblait avoir oublié l'affreuse scène qu'il avait faite à Marine avant son départ. Machinalement, elle regarda son poignet. En deux jours il avait dégonflé, mais la meurtrissure y avait laissé des traces bleues encore visibles.

Surprit-il son regard ? Il fronça les sourcils, ébaucha un geste, peut-être d'excuse, et, subitement, il ajouta :

— Je reste ici aujourd'hui. Si vous le voulez bien, nous déjeunerons ensemble...

Il lui sourit, le sourire d'un homme auquel les femmes n'ont jamais rien refusé. Cela exaspéra Marine. Vraiment, il était trop sûr de lui.

Il ajoutait, galant :

— Évidemment, si vous voulez bien de moi à votre table.

Elle répondit sèchement :

— Pardon, si vous, vous voulez bien de moi à votre table, Don Juan...

Elle eut envie d'ajouter : « Sans doute cette invitation est-elle faite pour vous excuser de m'avoir tordu le poignet... Mais elle n'excuse rien, ni votre brutalité, ni votre goujaterie. »

Mais elle se retint ; il était inutile d'envenimer les choses. Calmement, elle se rendit dans son bureau en disant : « Si vous avez du courrier à me dicter, je suis à vos ordres », marquant ainsi qu'elle n'oubliait pas qu'elle n'était qu'une secrétaire.

Au déjeuner, le corsaire avait disparu, cédant la place à l'homme du monde. La gaieté avait aussi disparu des yeux de « Don Juan » et cela frappa la jeune fille. Comment ne s'était-elle jamais aperçue auparavant de la profonde mélancolie qu'ils reflétaient ?

Ils en étaient au dessert, n'ayant échangé pendant tout le repas que quelques banalités, lorsque le musicien poussa un cri de joie.

— Yahn ! te voilà enfin ! je croyais que tu ne reviendrais jamais.

Un chat venait de sauter sur le mur du patio. Un persan bleu qui, avec son collier de poils, son nez minuscule et sa majesté, semblait un lion en réduction. Il poussa un « mrraoû » de satisfaction et, du muret, sauta sans hésiter sur les épaules de son maître. Un énorme et joyeux ronronnement accompagna son arrivée. Jean caressait le petit félin qui se frottait contre lui, éperdu de bonheur.

— Il était parti depuis dix jours et je n'espérais plus le revoir. J'étais désolé, car je l'aime beaucoup.

Il y avait dans la voix et les yeux du pianiste une tendresse que la jeune fille ne lui avait encore jamais

76

vue. « Ainsi pensa t elle avec amertume, il est quand même capable d'aimer quelqu'un, ne serait ce qu'une bête. » Elle revit la chambre de l'Inconnue Oui, il était sûrement capable d'aimer, et sans doute ardemment.

Le chat la fixait de ses ronds yeux orange. Soudain, sans cesser de ronronner, il sauta des genoux de son maître sur les siens, et, comme s'il l'avait toujours connue, s'y lova.

Jean de Seize regarda Marine avec étonnement.

— Il est habituellement jaloux de tous ceux qui m'approchent.

Ce ne semblait guère être le cas, cette fois-ci, car le magnifique persan, au comble du bonheur, « faisait du pain » sur les genoux de la jeune fille.

Elle caressa la belle bête :

— J'adore les chats, fit-elle.

— Quand même, dit le pianiste, je vous assure que celui-ci est très exclusif. Il détest...

Il s'arrêta net et, se levant de table, sortit rapidement, sans même s'excuser.

Le lendemain matin, Marine fut réveillée par le gros chat, qui, sans vergogne, grattait à la porte de sa nouvelle amie. Encore ensommeillée, elle alla lui ouvrir. Immédiatement Yahn sauta sur son lit et se frotta contre elle.

— Eh bien, dit-elle en le caressant, je vois que tu m'as adoptée.

Il ronronna de joie et, sans hésiter, quand elle quitta la chambre pour aller dans le bureau, l'y suivit.

— Décidément, dit Jean qui arrivait à son tour, c'est moi qui vais être jaloux !

Comme pour faire bonne mesure, le chat vint

s'installer sur ses genoux pendant qu'il dictait le courrier.

S'arrêtant soudain au milieu d'une lettre le pianiste, à la grande surprise de Marine, demanda à celle-ci :

— Au fait, ce soir j'ai un dîner chez Joséphine de Croïe, l'amie, qui, en mon absence, vous avait écrit pour vous engager. Cela me ferait plaisir que vous veniez avec moi. Ainsi la connaîtriez-vous.

La jeune fille retint un sourire. Décidément, Jean de Seize se donnait beaucoup de mal pour se faire pardonner ! A moins que, plus simplement, il voulût tenir la promesse que Reine Cassar lui avait arrachée...

Marine se demanda si elle devait accepter ou refuser. Mais déjà, tenant sans doute son acceptation pour acquise, il disait :

— Je suppose que vous avez une robe longue. Ces soirées de Majorque sont assez élégantes.

Le plaisir de sortir avec Jean de Seize l'emporta pour un instant sur toute autre considération, et elle acquiesça d'un mouvement de tête.

D'un voyage au Sénégal, sa tante avait rapporté à Marine un « boubou » en lourde soie naturelle, de verts différents, qui se fondaient, se mélangeaient, se séparaient. Une robe magnifique mais dont la jeune fille s'était dit à l'époque qu'elle n'aurait jamais l'occasion de la mettre.

C'était pourtant celle qu'elle avait ce soir pour cette sortie avec « Don Juan ». La tunique était faite de telle façon qu'en même temps elle tombait en un somptueux drapé et moulait le corps de la jeune fille.

Pendant quelques secondes, en la voyant venir vers

lui dans le salon où il l'attendait, Jean de Seize était resté muet. Seuls ses yeux exprimaient une admiration qu'il ne cherchait d'ailleurs pas à dissimuler.

Lui-même était remarquablement beau, son corps de dieu grec, aux hanches étroites, moulé dans un pantalon de toile noire ; sur la chemise de soie noire aussi, tombait une lourde chaîne d'argent qui supportait une large médaille ancienne.

« Cette fois-ci, pensa Marine, ce n'est plus un corsaire, mais un seigneur de la Renaissance, dans toute son arrogance et sa splendeur. »

Ils étaient face à face, comme immobilisés dans le temps, sans parler, se regardant seulement, émerveillés l'un par l'autre.

Le premier, Jean se ressaisit. Jetant un coup d'œil sur sa montre, il dit :

— Neuf heures ! il nous faut partir. Ce n'est pas très loin, tout à côté d'Andratx.

En ouvrant la porte de la Mercedes pour y faire entrer la jeune fille, il demanda avec courtoisie :

— Est-ce que vous vous habituez aux heures espagnoles ? Trois heures pour le déjeuner, dix heures pour le dîner, il y a de quoi surprendre une Française.

La jeune fille sourit :

— Je trouve cela très agréable, au contraire ! Il me semble qu'ainsi la journée est plus longue.

Ils n'échangèrent plus un mot jusqu'à la villa où ils allaient. Marine, avec l'intuition des femmes amoureuses, sentait une étrange tension entre eux. Elle savait que, à ce moment-là, si Jean s'était penché sur elle, oubliant tout elle lui aurait offert ses lèvres pour un baiser passionné. Au trouble qui montait en elle, que jamais jusqu'alors elle n'avait connu, elle sut ainsi qu'elle désirait ardemment une chose qui, même si elle était arrivée, n'aurait pu qu'être éphémère.

Une profonde tristesse l'envahit, et elle regretta presque d'avoir accepté cette invitation. Et pourtant, pour rien au monde elle n'aurait voulu ne pas vivre ce moment. Toute sa vie, elle le savait, elle s'en souviendrait.

Lorsqu'ils arrivèrent, une vingtaine de personnes en tenue de soirée étaient déjà groupées sur une terrasse qui dominait la mer. Des bougies allumées un peu partout créaient une ambiance chaude, douce, et donnaient une lumière qui faisait plus belles les femmes, adoucissait les traits rudes des hommes.

La plupart quittèrent un buffet somptueux où trônait un cochon de lait rôti, pour se diriger vers le pianiste, qu'elles semblaient fort bien connaître. Jean de Seize leur présenta Marine. Mais là s'arrêta son amabilité. Rapidement, abandonnant la jeune fille à elle-même, presque la fuyant, il alla s'asseoir à une table avec quelques amis.

Gentiment, la maîtresse de maison, une femme blonde d'une cinquantaine d'années, prit Marine par le bras et la conduisit vers le buffet.

— Prenez tout ce qui vous plaira ; j'ai fait faire un dîner majorcain, et vous verrez que si la cuisine de l'île est un peu rustique elle est aussi délicieuse. Tenez, là vous avez de la soubressade — elle lui désignait une grosse saucisse ronde —, qui est une charcuterie typiquement espagnole. Et je vous recommande le cochon de lait farci. Il a été cuit au four majorcain.

Elle lui montra un four de plein air, demi-rond,

semblable à un four à pain. Tout en lui parlant, elle lui remplissait une assiette.

— J'espère que vous aimerez tout cela... Servez-vous de vin. Lui aussi est de l'île, et, vous verrez, il est délicieux !

Elle se tourna vers d'autres amis qui arrivaient, laissant la jeune fille un peu désorientée, une assiette dans une main, un verre dans l'autre.

Marine se dirigea vers un petit banc de pierre à demi caché par un buisson d'hibiscus rouges. Ce coin de la terrasse dominait le port même d'Andratx Ayant posé son assiette et son verre près d'elle, la jeune fille admirait le petit port, éclairé par la lune, où se balançaient doucement embarcations et yachts, sans se rendre compte à quel point sa beauté faisait se retourner sur elle les invités.

Des bruits de voix parvinrent jusqu'à ses oreilles, venant d'une table qui se trouvait derrière les hibiscus. A mots couverts, on y parlait d'un drame qui semblait concerner l'un des invités, et des bribes de phrases lui arrivaient, portées par le vent : « ... Une tragique histoire... Elle aurait pu être pire encore si la police... Mais cela risque d'avoir brisé sa vie et sa carrière... »

Elle n'y aurait guère prêté attention si, subitement, le nom de « Don Juan », prononcé par une voix grave, ne l'avait alertée. Était-ce de lui qu'ils parlaient tous ? Peut-être allait-elle enfin avoir la clé du mystère, car il y en avait un ; elle en était de plus en plus certaine.

A ce moment, un homme d'une quarantaine d'années, qu'elle reconnut pour lui avoir été présenté par Jean de Seize, contourna les arbustes qui la masquaient et l'aperçut. D'une voix forte, il s'exclama :

— Mais voici, toute seule, la ravissante secrétaire de notre ami Jean de Seize... Venez donc à notre table, mademoiselle.

Il ne fit pas l'ombre d'un doute pour Marine qu'en fait il prévenait ses amis de la présence de la jeune fille, car aussitôt la conversation dévia. Il était évident que les amis du pianiste ne voulaient pas que sa secrétaire soit au courant de quelque chose... Mais de quoi ?

8

— Vous devriez visiter la vieille ville de Palma, dit Jean de Seize. La plupart de ses rues sont piétonnières, ce qui est fort agréable. Mais, surtout, elles sont telles qu'elles étaient il y a un ou deux siècles. Quant à la cathédrale que vous avez aperçue en arrivant, c'est une pure merveille de l'art gothique !

Il venait de dicter à Marine le courrier du matin et, assis dans un fauteuil, ses doigts jouant dans l'épaisse fourrure de Yahn qui, après sa fugue de dix jours, semblait ne plus vouloir quitter la maison, il bavardait tranquillement.

La jeune fille avait remarqué qu'il était moins nerveux ces temps-ci, et aussi, vis-à-vis d'elle, plus amical.

Souvent, le matin, il restait ainsi à parler de choses et d'autres... Mais jamais de musique ! Un sujet que d'ailleurs elle se gardait bien d'aborder.

— De plus, continuait Jean, vous trouverez dans ces vieux quartiers des quantités de boutiques dans lesquelles on peut acheter à des prix encore abordables de jolies choses.

Il mit par terre le chat persan, qui miaula en signe

de protestation. Debout devant la fenêtre, le pianiste regardait par la baie vitrée. Il offrait ainsi son profil. « Aujourd'hui, c'est celui du condottiere », décida Marine. « Fier, audacieux, insolent et nonchalant. »

Quelles pensées cachait ce beau visage mélancolique ?

Le pianiste se tourna vers sa secrétaire ; hésitant, semblait-il, à lui dire quelque chose. Mais il se tut.

A plusieurs reprises elle avait eu déjà cette impression : sur le point de lui faire une confidence, il refoulait ce désir en lui. Comme à chaque fois que cela s'était produit, sans même lui dire au revoir, il sortit rapidement, fermant la porte au chat qui le suivait. Indigné par ce mépris, Yahn se tourna vers la jeune fille et avec force « mrraoû » lui dit tout ce qu'il en pensait. Il était si drôle que Marine, tout en le caressant pour le consoler, ne pouvait s'empêcher de rire.

Elle s'était prise d'affection pour le persan. Lui aussi, elle le quitterait dans deux mois et demi et ne le reverrait pas plus que son maître.

Une profonde tristesse, voisine d'un désarroi total, l'envahit. Pour lutter contre, elle décida de suivre le conseil de « Don Juan » et d'aller visiter Palma.

Moins d'une heure après, elle montait dans la Volvo, munie, par les soins d'Antonio, d'une carte et de précieux conseils.

— Le mieux, lui avait conseillé le Majorquin, est de mettre la voiture au parking qui se trouve au début de la Rambla.

— La Rambla ? avait demandé la jeune fille. Qu'entendez-vous par là ?

Il l'avait regardée, étonné qu'elle ignorât ce qu'on trouve dans toutes les villes espagnoles : cette grande allée plantée d'arbres, où jeunes et vieux aiment à se promener.

— N'importe qui, à Palma, vous indiquera où elle se trouve, avait-il affirmé.

Dans le parking, elle prendrait un ascenseur qui la remonterait jusqu'à une grande place fermée : la « plaza Mayor ». Toute la ville ancienne était située autour d'elle, avait-il dit : la senorita ne pouvait pas se tromper.

Et maintenant elle se trouvait sur la grande place pavée de dalles roses, dont les arcades s'ouvraient sur les vieilles rues.

Un peu désorientée, la jeune fille regardait autour d'elle. Laquelle allait-elle choisir pour commencer sa visite ?

Elle sursauta parce qu'une main venait de se poser sur son bras et qu'une voix fraîche disait derrière elle :

— Je parie que c'est la première fois que vous venez ici ?

Elle se retourna. Une souriante jeune femme lui tendait la main.

Marine reconnut une des invités du dîner d'Andratx : Françoise, une Française de vingt-huit ou trente ans qui, avec son mari, avait une maison dans l'île. Elle semblait bien connaître et beaucoup aimer cette région.

— C'est vrai, reconnut la jeune fille, Jean de Seize m'a conseillé de venir visiter le vieux Palma, mais je suis un peu perdue :

Françoise proposa :

— Voulez-vous que je vous serve de guide ? J'ai une ou deux vagues courses à faire, mais en fait c'est plutôt pour me promener que je suis ici. J'adore ces rues. Les unes, celles que vous allez voir d'abord, sont gaies, remplies de monde ; les Majorquins et les touristes y viennent faire leurs achats. Alors que d'autres, au contraire, surtout celles autour de la cathédrale, sont silencieuses, presque austères, avec leurs hautes maisons aux volets toujours fermés ; on n'y rencontre jamais personne, mais quelquefois, derrière une lourde porte, on aperçoit un patio fleuri au centre duquel chante une fontaine...

Marine était ravie de cette chance imprévue, d'autant plus que la jeune femme lui était très sympathique.

— Nous allons commencer par la plus typique, dit celle-ci, la « calle San Miguel ». *Calle*, en espagnol, veut dire « rue » ; vous le savez sans doute.

Ensemble, elles firent pendant une heure du « lèche-vitrine », comme disait en riant Françoise. Celle-ci acheta une ceinture de crocodile pour son mari. « Une surprise, dit-elle joyeusement. Je savais qu'il en mourait d'envie. »

Françoise ne cachait pas qu'elle adorait son époux, et la jeune fille ne put s'empêcher d'envier sa nouvelle amie.

Est-ce qu'un jour elle connaîtrait à son tour ce même bonheur ? En elle-même, Marine se répondit « non ». Elle se connaissait trop bien pour ne pas savoir qu'elle était la femme d'un seul amour. Cet amour, elle l'avait trouvé mais il n'était pas, il ne serait jamais pour elle.

Sans s'apercevoir de la mélancolie de la jeune fille, Françoise l'entraîna vers la cathédrale. Le contraste était saisissant entre les rues animées qu'elles venaient de quitter, et ces ruelles patriciennes. Elles abritaient des maisons particulières qui ne révélaient rien au-dehors, gardant tout leur luxe et leur beauté pour l'intérieur. Au hasard de leur promenade, Françoise poussait une porte pour faire apercevoir à Marine un patio qui semblait jaillir d'une autre époque ou un escalier de marbre et de fer forgé...

Subitement, la cathédrale se dressa devant les deux jeunes Françaises, immense, grandiose.

Devant le parvis, faisant le coin d'une rue, un antiquaire exposait d'admirables objets d'art. Attirée par un châle ancien aux somptueuses broderies, Marine se dirigea vers la vitrine, suivie par Françoise, qui s'exclama :

— Mais je reconnais la boutique : c'est là que la femme de Jean avait acheté ses chandeliers.

Marine la regarda, sans pouvoir cacher ni son trouble ni sa stupéfaction.

— Il est marié ? « Don Juan » ?

— Enfin, il l'é...

Se mordant les lèvres, la jeune femme coupa net sa phrase, et, pour cacher son trouble, se pencha vers une petite lampe de cuivre qui ne présentait aucun intérêt.

Elle la tendit à Marine et dit, de la voix gênée de quelqu'un qui vient de faire une gaffe et qui en est ennuyée :

— Regardez, c'est ravissant, n'est-ce pas ?

Rien ne pouvait être plus faux... Mais Marine ne l'entendait même pas.

Ainsi c'était là le secret de Jean de Seize : il était marié ! Marine avait tout envisagé, même une liaison qui durait, sauf cette chose si simple, si normale : le mariage. Comment se faisait-il qu'elle n'y ait pas pensé immédiatement ? La réponse était simple :

dans tous les articles qu'elle avait lus sur Jean de Seize, et elle croyait bien les avoir tous lus, le grand pianiste était toujours présenté comme un célibataire impénitent. Jamais, nulle part, elle n'avait vu annoncer son mariage.

Mais ainsi s'expliquait la « chambre de l'Inconnue » : c'était celle de son épouse. S'expliquait aussi le peu d'attention qu'il accordait aux femmes : il ne s'intéressait — évidemment — qu'à la sienne ! Et il était normal que Marine, comme les autres, ne comptât pas pour lui.

Si, tout au fond d'elle-même, sans s'en rendre compte, la jeune fille avait nourri encore un vague espoir, cette fois-ci il était bien mort.

Mais, puisque Jean était marié, où était sa femme ? Et pourquoi n'en parlait-il jamais ?

Comme s'il avait senti la détresse de sa nouvelle amie, Yahn s'était installé sur ses genoux dans le patio où elle s'était réfugiée en rentrant de Palma.

Après la phrase qui avait échappé à Françoise, les deux jeunes femmes n'avaient plus eu qu'une idée, malgré la sympathie réelle qu'elles éprouvaient l'une pour l'autre : se quitter le plus rapidement possible.

Il était évident pour Marine que Françoise n'avait qu'une crainte : être interrogée sur le mariage de Jean de Seize et sur sa femme...

Cela se lisait sur son visage franc et ouvert. C'était si net que Marine eut pitié d'elle, et, bien qu'elle en mourût d'envie, ne l'interrogea pas sur un sujet qui semblait frappé d'interdit.

Et maintenant elle cherchait à comprendre. Une fois de plus, elle se heurtait à un mur. Tout dans le comportement du musicien était énigme... Mais, plus que le reste, cette femme et ce mariage : car, là, ce n'était pas lui seulement qui se taisait sur cette mystérieuse épouse mais aussi ses amis ! Il était quand même extraordinaire qu'à la soirée où Marine était allée avec « Don Juan » personne n'eût prononcé son nom, n'en eût parlé, ne fût-ce que pour demander de ses nouvelles.

Subitement, Marine prit sa décision : s'il lui avait semblé indiscret d'interroger Magdalena sur ce qu'elle pensait être une liaison, il n'y avait, par contre, aucune raison pour ne pas lui parler de l'épouse légitime de son maître. Il paraissait impossible que la servante ignorât que Jean de Seize était marié.

Même si sa femme était absente, pour une raison quelconque, elle était bien venue à Majorque avec lui : la chambre en désordre le prouvait.

Elle posa doucement le chat par terre pour se diriger vers les communs. Dans une petite cour intérieure, Magdalena était en train de mettre à sécher du linge qu'elle avait lavé.

Elle fit un grand sourire à la jeune fille, qu'elle avait définitivement adoptée.

— Savez-vous, demanda Marine dans son espagnol hésitant, quand revient la femme de Monsieur : su esposa...

— Su esposa ? fit Magdalena en ouvrant des yeux étonnés. Don Juan no hay !

La Majorquine était catégorique : « Don Juan » n'était pas marié...

Mais c'était impossible ! Françoise n'avait aucune raison d'inventer une telle fable. Et puis il y avait une preuve visible : la chambre.

Pourtant, si interloquée qu'elle oubliait d'en pendre son linge, Magdalena répétait :

— Es soltero !

Célibataire ! Magdalena semblait si sûre de ce qu'elle affirmait qu'énervée la jeune fille la prit par la main et l'emmena vers la porte de la chambre.

— Es su habitation !

Effarée, Magdalena regardait Marine comme si celle-ci était devenue folle.

— Non !

D'ailleurs, expliqua-t-elle avec volubilité, elle ignorait à quoi servait cette pièce. Elle était constamment fermée et c'était el Senor qui en avait la clé.

C'était à Marine d'être désorientée. Enfin, cette chambre de femme, elle l'avait bien vue ! Ou l'avait-elle rêvée ?

9

Sans doute dégoûté par le comportement de ces humains qui se permettaient de le mettre par terre quand il était confortablement installé sur leurs genoux, Yahn avait à nouveau disparu.

Mais, cette fois-ci, cela ne semblait pas inquiéter Jean.

— Il a sûrement un flirt dans le coin, dit-il à la jeune fille, qui, inquiète, lui annonçait cette nouvelle fugue.

» Ne vous affolez pas déjà, sinon tout à l'heure cela va être pire, ajouta-t-il sur sur un ton légèrement sarcastique.

Que voulait-il dire ?

Elle le sut rapidement. Contrairement à ses habitudes il était rentré vers 7 heures du soir et, l'air soucieux, avait appelé la jeune fille pour lui dicter une lettre.

— Importante, avait-il ajouté courtoisement, sinon je ne me permettrais pas de vous déranger à cette heure.

Maintenant, il disait :

— Pour mon impresario de Paris, Roland Biret...

Sans hésiter il dicta :

« Mon cher Roland, je suis désolé, mais, pour des raisons strictement personnelles, je me vois dans l'obligation de renoncer à ma tournée en Amérique.

» Il faut que vous préveniez les impresarios des États-Unis qui l'avait organisée.

» Il est évident que cette rupture de contrat va entraîner des indemnités à payer... »

Il s'arrêta, regarda Marine et dit d'un ton exaspéré :

— Eh bien, qu'avez-vous à me regarder comme ça ? On dirait que je suis mort ou devenu fou !

C'était vrai, la jeune fille était blême. Le crayon arrêté au-dessus de sa sténographie elle ne pensait même plus à écrire.

Certes, Jean de Seize avait souvent dicté des lettres à sa secrétaire pour refuser un récital, mais jamais encore il n'avait écrit pour annuler des concerts... Et surtout de cette importance. Ce qu'il faisait, c'était se fermer l'Amérique à jamais, car on ne lui pardonnerait pas son manque de parole. Surtout après le refus qu'il avait déjà opposé au Carnegie Hall.

Sans compter les millions que cette rupture de contrats allaient lui coûter, cette lettre équivalait à un véritable suicide.

— Mais, murmura la jeune fille bouleversée, c'est impossible, vous ne pouvez pas faire cela...

La réponse arriva cinglante, comme elle s'y attendait :

— Je croyais, mademoiselle, que je vous avais demandé de rester à votre place de secrétaire et de ne pas vous mêler de mes affaires personnelles. Je vois qu'il n'en est rien et que vous continuez.

Un mince sourire retroussait sa lèvre supérieure. Elle devina qu'en lui la colère montait, furieuse.

Il continuait d'une voix mordante :

— Je sais que vous avez pour moi une admiration sans borne... Mais je n'en ai rien à faire ! Des admiratrices comme vous, j'en ai par milliers dans le monde entier. Croyez bien que si j'avais su que vous étiez l'une d'elles, je ne vous aurais jamais engagée !

Elle le sentit bander ses muscles comme un fauve qui s'apprête à bondir. Allait-il encore se jeter sur elle ? Instinctivement, prise de peur, elle recula.

Quelques secondes s'écoulèrent dans une tension tellement insupportable qu'elles semblèrent des siècles à Marine.

Et subitement ce fut un changement complet, spectaculaire. Comme si la peur de la jeune fille l'avait rendu à lui-même, Jean de Seize posa sa main sur ses yeux, pareil à un dormeur qui s'éveille. Marine le sentit se décontracter, se calmer, revenir à la réalité.

Il murmura :

— Pardonnez-moi.

— C'est à moi de m'excuser, Don Juan, dit-elle. Vous m'avez prévenue ; je n'aurais pas dû me permettre... Mais cela a été plus fort que moi.

Il y avait une telle détresse dans sa voix, une telle vérité, que le musicien la regarda avec une acuité qui la gêna.

— Mon Dieu, Marine, dit-il, je ne pensais pas...

C'était la première fois qu'il l'appelait par son petit nom, et cela lui sembla doux comme un geste d'affection.

— ... que pour vous ce fût aussi important. Vous parlez comme parlerait un pianiste !

Elle faillit lui dire qu'il ne se trompait pas, mais, sagement, elle préféra se taire.

Il secoua la tête, préoccupé :

— Remettez cette lettre à huit jours... Bien que — ajouta-t-il avec une sorte de désespoir — je ne pense pas pouvoir revenir sur ma décision.

Elle faillit lui crier : « Mais pourquoi ? », et n'osa pas.

Il s'était approché et eut un mouvement auquel elle ne s'attendait pas : il lui caressa doucement les cheveux.

— Petite fille... Vous savez que je suis beaucoup plus âgé que vous. Quinze ans de différence, cela compte à votre âge !

Elle ressentit ce même trouble que dans la Mercedes quelques jours auparavant, mais il s'y mêlait cette fois autre chose : de la part de Jean, une sincérité qui était nouvelle.

Il avait laissé, songeur, sa main sur les cheveux de la jeune fille.

— C'est pourquoi, fit-il doucement, je sais mieux que vous ce que j'ai à faire.

Elle fut certaine que la deuxième phrase n'était pas la suite de la première. Ce n'était pas cela qu'il avait eu l'intention de dire. L'espace d'un éclair, elle pensa : « Il m'aime »... « Ridicule ! », lui souffla la voix de la raison : « Tu es folle ».

Elle leva vers lui les yeux, et eut un sourire auquel il répondit. Aujourd'hui, « Don Juan » était Jean de Seize. Tel qu'enfant elle l'avait imaginé.

D'un mouvement spontané elle prit la main qui, quittant les cheveux, s'était, tel un oiseau, posée sur son épaule, et l'embrassa. Elle n'aurait su dire à quoi exactement correspondait ce geste imprévu ; un

94

mélange de tant de sentiments : amour, admiration, remerciement...

Après ce geste, Marine s'était empourprée, réalisant son incongruité. De quelle manière allait l'interpréter le pianiste ?

Celui-ci s'était redressé, surpris, gêné, ne comprenant pas tout d'abord ; et puis, sa finesse d'artiste, cette subtilité qui lui faisait interpréter d'une manière incomparable les grands musiciens, lui permit de concevoir tout ce qui était contenu dans ce baiser.

Sans rien dire qui pût effaroucher la jeune fille, il proposa tranquillement :

— Marine, j'ai envie d'aller dîner au restaurant ce soir. Que diriez-vous d'y venir avec moi ?

En même temps, comme si tout ceci avait été naturel, il sortait d'un geste machinal un paquet de Players de sa poche, et en tendait une à la jeune fille, lui laissant ainsi le temps de se ressaisir.

Elle la prit et murmura en tremblant « merci ». Il la lui alluma, en alluma une pour lui.

Dehors, le bleu du ciel commençait à se décolorer, à virer dans les roses du couchant. Il regarda sa montre.

— Huit heures et demie déjà... Si vous mettiez cette merveilleuse robe verte que vous aviez pour aller à Andratx ? Nous irions dîner aux Mini-folies. C'est un restaurant mi-français, mi-espagnol, et un des endroits les plus agréables de l'île. Qu'en dites-vous ? Rendez-vous dans le patio à neuf heures... Vous aurez ainsi le temps de vous préparer.

Elle le remercia d'un sourire ; il lui ouvrit la porte :

— A tout de suite, Marine.

Que s'était-il passé ?

En se maquillant les yeux devant sa glace, pâle

d'émotion, la jeune fille se le demandait. Il lui semblait être entrée dans un monde autre, jusque-là interdit ; qu'elle soupçonnait mais qui n'était pas pour elle. Et voilà qu'elle en avait franchi le seuil.

Au bout de ses doigts le bâtonnet trempé dans le khôl tremblait. A haute voix, elle dit :

— Il faut que je me calme, sinon je ne vais pas arriver à faire mes yeux.

Elle passa dans le petit cabinet de toilette contigu à sa chambre et but un grand verre d'eau : il lui semblait être saoule.

Revenue dans sa chambre, elle ouvrit le placard et prit la robe verte, couleur de mer, qui faisait d'elle une princesse de conte de fées.

La glace lui renvoya l'image d'une fille tellement jolie qu'elle en fut toute étonnée. Jamais jusque-là Marine ne s'était aperçue qu'elle était très belle. Dans le miroir, cette vision ne lui semblait pas être elle, mais une autre femme. Celle qui, ce soir, allait dîner en tête à tête avec l'homme qu'elle aimait.

Elle sortit de sa chambre ; le bruit soyeux de la robe accompagnait ses pas d'un murmure léger.

Dans le patio, Jean l'attendait. De noir vêtu, comme la précédente fois, la grande chaîne d'argent qui faisait de lui un seigneur de la Renaissance autour du cou.

Ils étaient tous deux exactement comme l'autre jour.

Et pourtant, elle le sut, tout était différent.

Sous les arbres, autour de la piscine, les tables étaient assez espacées pour que, tout en conservant l'ambiance chaude d'un restaurant de grand luxe, chaque client se sentît quand même isolé et à son aise.

Un imposant maître d'hôtel s'était immédiatement avancé en reconnaissant son illustre client.

— Senor de Seize, pourquoi ne pas nous avoir téléphoné ? Je vais être obligé de vous faire attendre quelques minutes.

Tel Vatel, le célèbre cuisinier de Louis XIV, il semblait prêt à se suicider pour effacer la tache d'un tel déshonneur. Plus que n'importe quoi, le comique du gros homme rendit Marine à la réalité. Elle étouffa le fou rire qui, telle une petite fille, la prenait.

— Aucune importance, Carlos, disait en souriant Jean de Seize. Vous allez nous faire servir un « Tio pépé » là-bas...

Il désignait un petit salon situé à l'écart, sous des arcades.

— Quand notre table sera prête, vous viendrez nous chercher.

Jean prit amicalement le bras de la jeune fille pour la conduire vers l'endroit qu'il avait indiqué au maître d'hôtel.

— Le numéro de Carlos vous a bien amusée, dit-il en riant lui aussi ! Avouez... Vous savez, il n'est pas spécial pour moi. Il le fait à pas mal de clients.

Devant la jeune fille, la piscine reflétait la lumière des lampes. Un peu plus loin, le restaurant semblait un décor pour un film d'Hollywood.

Un barman déposa devant le musicien et sa compagne deux petits verres remplis d'un liquide doré.

— Le « Tio pépé » est le meilleur des xérès, et le xérès est l'apéritif national de l'Espagne. J'espère que vous l'aimerez, mais, de toute manière, vous ne pouvez être venue aux Baléares sans en avoir bu au moins une fois.

Le verre dans la main, il regarda la jeune fille :

— Je suis heureux que ce soit moi votre initiateur. Vous n'y aviez jamais goûté auparavant, n'est-ce pas ?

Elle fit « non » de la tête avant de porter le verre à ses lèvres.

C'était un vin très sec au parfum subtil et exquis.

— Que c'est bon ! s'étonna Marine ; je n'ai jamais rien bu de pareil.

— Je suis ravi que cela vous plaise...

Leurs regards se croisèrent.

Elle détourna les yeux pour que Jean n'y lise pas.

Carlos venait vers eux :

— Votre table est prête, Don Juan... Si vous voulez bien me suivre.

La jeune fille eut l'impression que le gros maître d'hôtel se demandait qui elle était... Sa présence auprès de Jean de Seize semblait l'étonner. Pourtant, il avait dû voir plus d'une fois une jolie femme à son côté !

Jean de Seize attendait que Marine fût assise pour s'asseoir à son tour. Il lui tendit la carte, mais en lui disant :

— Puisque je ne m'étais pas trompé en vous faisant servir un xérès, est-ce que vous me feriez aussi confiance pour le dîner ? Je connais les spécialités et je sais ce qui, ici, est tout à la fois bon et typique.

Elle acquiesça avec joie. Cette douce autorité lui plaisait. Elle avait cette merveilleuse impression de n'être plus une jeune fille que les garçons de son âge traitaient en « copine », mais une femme dont un homme s'occupe pour lui épargner tous soucis.

— L'agneau, ici est une merveille disait Jean. Ou préférez-vous ce plat foncièrement espagnol : la paella ? C'est un mélange de riz, de légumes, de viandes diverses, de poissons et de crustacés. Cela peut sembler bizarre mais c'est délicieux, croyez-moi.

— Oh oui ! dit-elle ravie... Une paella, je n'en ai jamais mangé !

Le dîner, accompagné d'un vin de Beni Salem, cru renommé de l'île, avait été délicieux, comme l'avait promis Jean.

Marine dégustait le dessert : une autre spécialité de l'île : le raicesson ; une tarte au fromage blanc.

Subitement, elle vit Jean froisser sa serviette.

Les sourcils froncés, il murmura :

— Oh !... je me serais bien passé d'eux ce soir !

Un groupe de Français venait d'entrer dans le restaurant, conduit par Reine Cassar. Apercevant de loin le pianiste et Marine, elle leva les bras au ciel et s'exclama avec autant de force que si elle jouait la *Traviata :*

— Jean de Seize... quelle chance ! Si je me doutais que j'allais vous rencontrer ici !

Tout le restaurant s'était retourné, évidemment, vers la table à laquelle jusqu'alors personne n'avait prêté attention.

Toujours avec la même truculence, la cantatrice appelait le maître d'hôtel.

— Carlos, mets notre table près de celle de notre ami !...

Elle se tourna vers Marine.

— Et voici sa charmante secrétaire. Bonsoir, ma chérie. Comment allez-vous ?

Une fois de plus, la soirée avait changé du tout au tout. C'était maintenant un spectacle de célébrités... Le regret pinça le cœur de la jeune fille.

« Don Juan » était redevenu Jean de Seize.

Avec beaucoup de bruit et de mouvement, le groupe de Français s'installait à côté d'eux. De sa voix de contralto qui couvrait toutes les conversations, la chanteuse réclamait du champagne...

« Pourtant, pensa Marine, mi-amusée, mi-peinée de voir ainsi son dîner troublé, elle a dû déjà en boire pas mal. »

Tout le monde riait autour d'elle. Jean avait repris son masque mondain, s'inclinant devant des femmes que Marine trouvait plus belles et plus élégantes qu'elle. En sourdine, un orchestre jouait et, sur la piste de plein air, des couples dansaient, enlacés...

La jeune fille eut envie de se trouver parmi eux, dans les bras de « Don Juan ».

Mais c'était une autre que le pianiste venait d'inviter, comme s'il ne voulait pas qu'on s'aperçût de sa trop grande intimité avec sa secrétaire.

Marine, elle, refusait avec un sourire l'invitation d'un des amis qui accompagnait Reine.

— C'est gentil de rester avec moi, soupira celle-ci... Moi non plus, je n'ai pas envie de danser.

Tous les convives s'étaient en effet levés pour aller sur la piste, et, à la table, la cantatrice et Marine étaient maintenant seules.

La chanteuse porta à ses lèvres sa coupe de champagne, qu'elle vida d'un seul trait avant de confier à la jeune fille :

— Je crois que j'ai un peu trop bu.

Elle regarda autour d'elle comme si elle était entourée d'espions.

100

Malgré le regret de sa soirée à deux, Marine ne pouvait s'empêcher de s'amuser des mimiques de l'illustre cantatrice. Quand jouait elle, quand était-elle vraie ?

La jeune fille supposa que la vie était pour Reine un continuel opéra où la réalité se fondait dans le théâtre. Ayant bien vérifié que personne ne l'espionnait, la chanteuse se pencha vers Marine et, à voix presque basse, questionna :

— Enfin, de vous à moi, il l'a tuée ou pas ?... Vous qui êtes sa secrétaire, vous devez le savoir !

10

Dans la Mercedes blanche qui les ramenait à toute allure vers sa maison, le musicien se taisait, peut-être parce que la route toute en lacet nécessitait de nuit une attention spéciale. Mais n'était-ce pas aussi parce qu'il avait entendu ce qu'avait dit la cantatrice ?

Marine le craignait. La voix « murmurée » devait avoir été entendue à dix mètres autour d'elle, et Jean de Seize était arrivé juste à cet instant-là. Mais surtout la jeune fille était épouvantée par ce que Reine, sans s'en douter, venait de lui révéler, la croyant déjà au courant.

Elle se rappela la conversation à Andratx : « Une tragique histoire... Elle aurait pu être pire encore si la police... Mais cela risque d'avoir brisé sa vie et sa carrière. »

Que s'était-il passé, exactement ? Et qui le pianiste était-il accusé d'avoir tué ?

Marine comprenait maintenant pourquoi il y avait dans la maison un nouveau personnel. Jean de Seize n'avait sûrement pas gardé près de lui d'anciens domestiques qui auraient risqué de bavarder... Il était bien suffisant que ses amis — heureusement discrets, sauf Reine — soient au courant !

Mais quelle était cette tragédie inconnue — elle n'osait penser « cet assassinat » — qui l'obligeait à renoncer à sa carrière ?

Blottie dans le coin de la voiture, Marine frissonna. Seule avec Jean, elle avait subitement peur de son passé.

Quand ils arrivèrent devant la maison, ils n'avaient pas échangé une seule parole depuis qu'ils avaient quitté les Mini-folies.

Dans l'entrée, Marine, qui s'était ressaisie, leva vers le pianiste son clair sourire. Quoi qu'il ait pu faire elle le savait, elle l'aimerait toujours. Si elle tremblait, c'était pour lui, non pour elle.

— Merci, Don Juan, dit-elle, j'ai passé avec vous une merveilleuse soirée.

Elle avait légèrement appuyé sur le « avec vous » afin qu'il sût que la soirée qu'elle avait aimée était celle passée seule avec lui, avant l'envahissement du restaurant par le groupe français. Que n'aurait-elle donné pour ne jamais avoir rencontré Reine !

Il retint quelques instants dans sa grande main d'homme les doigts frêles qui y étaient blottis.

— Je partirai demain matin de bonne heure avec Antonio pour aller pêcher... Je ne rentrerai pas avant quarante-huit heures. A ce moment-là, j'aurai pris une décision pour cette lettre qui vous bouleverse...

— ... Et qui me bouleverse aussi ! ajouta-t-il à voix basse.

La dernière phrase de Jean avait empêché Marine de dormir au moins autant que l'accusation portée contre lui par la cantatrice.

Donc, s'il renonçait au piano, comme la lettre dictée pour son imprésario en donnait à la jeune fille la certitude, c'était bien malgré lui. Et que cette décision fût liée au drame qui s'était joué ne faisait plus pour elle l'ombre d'un doute.

Elle n'avait pas envie de rester seule toute la journée dans la grande maison à ressasser des pensées qui ne la menaient à rien.

Comme Magdalena lui apportait son petit déjeuner, Marine lui proposa, puisque Antonio n'était pas là, de la conduire jusqu'à Andratx pour y faire son marché ; ce que la brave femme, qui ne savait pas conduire, accepta avec le plus grand plaisir.

Une heure plus tard, Marine musait sur le port, attendant que la Majorquine ait fini de faire ses courses, pour la ramener. Que la vie ici semblait douce et sans complication ; en désaccord total avec le drame qu'elle était en train de vivre.

Si ce n'avait été Magdalena, elle aurait passé la journée à flâner dans ce petit port insouciant. Des restaurants au bord de l'eau lui donnaient envie d'y déjeuner. Il lui semblait que, hors de la maison de Juan, elle oublierait toutes ces pensées noires qui bourdonnaient en elle, ne lui laissant pas une seconde de répit.

Comme si elle avait senti cette secrète envie, Magdalena surgit brusquement à côté d'elle, un peu essoufflée d'avoir couru. Elle venait dire à la « senorita » que, si elle voulait rester à Andratx, l'épicier, auquel elle avait fait une grosse commande, proposait de la ramener avec sa livraison !

Ce fut un soulagement pour Marine. Dès que la femme l'eut quittée, elle se dirigea vers un café du port... A un mètre d'elle à peine les embarcations se balançaient doucement, les voiliers dressaient leurs mâts vers un ciel immuablement bleu. A midi, il était trop tôt pour déjeuner.

La jeune fille hésita une seconde puis commanda un « Tio pépé » au serveur. Le vin capiteux lui ferait peut-être oublier ses soucis en la replongeant dans l'ambiance heureuse du début de la soirée d'hier.

Il était environ 7 heures lorsque, ayant bien baguenaudé dans les rues du petit port, Marine se décida à rentrer. Elle s'était acheté une robe blanche en provenance d'Ibiza, l'une des trois îles des Baléares. Pour sa mère, elle avait trouvé un « siruel », un de ces sifflets comme il y en avait chez « Don Juan », et qui l'avait ravie par sa naïveté. Celui-ci représentait un roi monté sur un cheval moins grand que lui et qui semblait plus tenir des lévriers majorcains que de l'espèce chevaline.

Lorsqu'elle entra dans le grand salon, la jeune fille ne put retenir un mouvement de surprise et presque un cri de joie : le piano était ouvert. Sans doute était-ce « Don Juan » qui en avait soulevé le couvercle avant de partir, car jamais Magdalena n'aurait osé y toucher.

Pourtant, il n'en avait pas joué. Elle l'aurait entendu. Quelques minutes immobile, elle l'imagina : Torse et pieds nus, dans son pantalon de corsaire délavé par le soleil, debout devant le piano, soulevant le couvercle, caressant les touches. Pour un adieu définitif ?

Elle s'était approchée du « Gaveau ». A son tour, elle en toucha presque tendrement le clavier. Sous ses doigts il lui semblait sentir l'empreinte de ceux de Jean de Seize.

Elle s'assit sur le tabouret, posa sa main sur les touches d'ivoire. Elle ne voulait rien d'autre que cela : toucher un piano. Évoquer des sons.

Et puis ce fut plus fort que Marine : elle ne put résister à son désir, il était trop violent, pareil à celui que fait naître l'amour.

Ce fut d'abord le *Quinzième Prélude* en ré mineur de Chopin, qui traduit en notes, monotones, insistantes, pareilles à des pleurs, les gouttes de pluie. Il l'avait écrit un soir de désespérance totale, à Valldemosa.

Elle s'enivrait d'elle-même ; jamais, non jamais elle n'avait aussi bien joué. Avait-elle donc besoin de connaître l'amour, la souffrance, l'angoisse, le désespoir, pour les faire revivre dans l'interprétation de l'œuvre pathétique de Chopin ? Elle réalisait maintenant ce qui lui avait manqué jusqu'à ce jour pour être une grande artiste : devenir une femme. Cesser d'être une petite fille vivant dans les jupes de sa mère.

Le prélude terminé, elle attaqua un nocturne, puis ensuite une valse, une de celles qu'elle préférait.

Emportée par la musique, vivant en elle, elle avait tout oublié... Et l'arrachant à son rêve, subitement, une voix dans son dos hurlait ; une voix rauque qui ressemblait plus à un cri de bête qu'à une voix humaine.

— Arrêtez !... Arrêtez immédiatement ! Je vous interdis !...

Jean était derrière elle. Depuis combien de temps ? Ou venait-il seulement d'entrer ? Mais il était là, revenu, alors qu'elle le croyait en mer.

D'un geste brutal il rabaissa le couvercle sur les mains de la jeune fille. Heureusement, Marine les avait précipitamment retirées. Elle le regarda. Elle ne le reconnut pas : C'était un fou aux yeux exorbités qui criait des mots sans suite.

La peur, une peur panique, s'était emparée de la jeune fille, l'immobilisant d'abord quelques secondes devant cet inconnu. Puis, comme il se précipitait sur elle, elle s'enfuit aussi vite qu'elle le put dans le bois de pins, poursuivie par ce fou qui hurlait son nom. Elle courait en zigzag, se dissimulant dans les buissons, se griffant aux broussailles, tentant de le dérouter pour qu'il ne puisse la rattraper.

Subitement, elle n'entendit plus derrière elle ce bruit de branches cassées, ce crissement des aiguilles de pin sous les pieds nus qui la poursuivaient.

Cachée derrière des lentisques elle demeura immobile, tâchant de reprendre son souffle, de calmer son cœur qui battait à tout rompre. Elle laissa se passer un long moment. Tout était calme, maintenant, redevenu silencieux. L'homme semblait avoir abandonné sa poursuite.

Mais elle se rendait compte qu'il n'était pas question pour elle de remonter vers la maison. Rien ne lui prouvait que Jean ne l'y attendait pas, prêt à reprendre sa chasse acharnée.

Avec horreur, une impression qu'elle avait déjà eue la hantai : Jean de Seize était-il devenu fou ? Et dans ses crises était-il capable de tuer, comme l'avait laissé entendre Reine ?

Elle ne pouvait ainsi passer la nuit dans le bois. Puisqu'elle ne pouvait regagner la maison, il ne lui restait qu'une ressource : la plage.

Avec le maximum de silence, mettant dix minutes pour faire trois pas, regardant derrière elle à chaque seconde, Marine descendit.

Sous un clair de lune paisible le petit hors-bord dont elle s'était servie pour aller sur l'îlot se balançait doucement. Tous feux éteints, le grand bateau à côté de lui semblait dormir. Elle attendit, dissimulée derrière des myrtes et des cistes, pour être sûre qu'il n'y avait personne. Puis, à toute vitesse, elle dévala le sable de la plage qui amortissait le bruit de ses pas.

Sans hésiter, enlevant sa robe, qu'elle tint à bout de bras au-dessus de l'eau, elle plongea en slip et en soutien-gorge. La mer était tiède, amicale, et lui rendit un peu de son calme. En quelques secondes elle atteignit le Zodiac, et y monta.

Elle se jeta dans le fond pour se dissimuler encore. Puis, sûre au bout d'un instant que personne ne l'avait suivie, rapidement mais silencieusement, elle défit l'amarre, mit le moteur en marche et fonça vers le large.

En elle, il n'y avait plus qu'une seule pensée : fuir ! Où elle allait, elle n'en savait encore rien, mais du moins se sentait-elle à l'abri.

La nuit, heureusement, était douce. Elle enleva le soutien-gorge et le slip trempés, et passa sur son corps mouillé la robe qu'elle avait gardée à peu près sèche.

Assise sur le rebord du bateau, elle réfléchissait. Elle ne pouvait continuer à aller ainsi vers la haute mer. C'était par trop dangereux. Il lui fallait revenir vers la côte. Mais il n'était toujours pas question qu'elle rentrât chez Jean de Seize. Rien ne prouvait que la furie de celui-ci fût calmée. De toute façon, elle ne voulait plus le revoir.

Tout à la fois, elle l'aimait d'un amour passionné et sans espoir, et elle en avait terriblement peur.

Elle pensa que le mieux était de rejoindre Palma,

la capitale de l'île. Certes, Andratx était beaucoup plus proche, mais à cette heure de la nuit tout devait y être fermé. Et puis Jean risquait de penser qu'elle s'y était réfugiée. En quelques tours de roue il pouvait y être. Peut-être déjà l'attendait-il sur le quai désert. Elle frissonna. Non, mille fois mieux valait Palma. Là, elle se débrouillerait.

Par chance, en faisant ses courses l'après-midi, elle avait glissé dans sa poche de la menue monnaie. Une centaine de pesetas au grand maximum, mais c'était suffisant pour appeler Reine Cassar, qui lui avait donné son numéro de téléphone, et qu'elle sentait bonne, malgré ses excès. Où mieux peut-être, parce qu'elle était plus calme, sûrement moins cancanière, cette Joséphine de Croïe chez laquelle elle était allée. C'était elle, après tout, qui l'avait engagée pour Jean de Seize.

Dans le vide-poches du petit bateau, il y avait une lampe électrique et une carte. Marine déploya celle-ci et l'éclaira.

Elle avait du mal, car il lui fallait tenir tout à la fois la lampe, la carte et le gouvernail. Le vent, d'un seul coup, s'était levé et la mer devenait houleuse. Le hors-bord dansait comme un bouchon sur la crête des flots qui semblaient maintenant d'un noir d'encre, mais la jeune fille n'avait peur ni de la mer ni de la nuit. Elles lui semblaient beaucoup plus sûres que cet homme démoniaque qui l'avait poursuivie. Pour la tuer elle aussi ?

Elle discernait à nouveau la côte. Elle s'en rapprocha le plus possible en évitant quand même d'être trop près, car elle ne pouvait voir les rochers à fleur d'eau : le seul risque pour le bateau était une grosse déchirure qui aurait pu le faire se dégonfler.

D'après la carte, Palma était sur la gauche — la direction qu'elle avait prise — et guère à plus d'une trentaine de kilomètres. Une heure trente, deux heures au maximum de navigation, car le moteur Mercury devait bien faire 20 nœuds.

C'était faisable : elle avait déjà parcouru de telles distances, en Bretagne, mais de jour.

Il y aurait aussi, bien sûr, le cap de Cala Figuera à passer ; mais les côtes douces, se terminant en plage de ce côté de l'île, n'avaient rien de bien dangereux.

La lune, à travers deux nuages, éclairait suffisamment le rivage pour qu'elle ne le perdît pas de vue. Curieusement, ce qui la gênait le plus était dû à un détail infime : sa légère robe d'été passée à même son corps mouillé, et qui était humide. Marine avait d'autant plus froid que le vent s'était levé. La douceur du soir se dissipait. Il commençait à faire frais.

Elle se ressaisit. Il ne faisait pas glacial au point de grelotter, et, une fois à Palma, elle trouverait bien un café ouvert pour prendre une boisson chaude et téléphoner.

Une heure s'était à peu près écoulée depuis qu'elle avait pris la mer. La main sur le gouvernail elle gardait facilement le cap et était sans inquiétude.

C'est alors que le moteur émit deux ou trois hoquets, puis, brusquement, s'arrêta.

11

Angoissée, Marine tâchait de remettre le moteur en marche, mais c'était en vain qu'elle tirait sur le démarreur. Rien n'y faisait. Subitement, elle comprit : se penchant vers la nourrice, elle souleva celle-ci : elle était vide.

Dans son affolement, quand elle était montée à bord du bateau, la jeune fille avait totalement oublié de regarder s'il y avait assez d'essence pour aller à Palma.

C'était la panne sèche. Irrémédiable. Elle regarda autour d'elle. Si seulement elle avait aperçu un bateau de pêche, elle aurait allumé les fusées qu'il y avait à bord, pour faire des signaux de détresse.

Mais, évidemment, à cette heure-ci la Méditerranée était déserte. Il faudrait attendre l'aube pour que les premières barques de pêche sortent du port. Et, à ce moment-là, où elle-même serait-elle ?

Quelques secondes elle espéra que le vent soufflait de la mer vers la terre, la ramenant sur la côte. En ramant, alors, elle arriverait à s'échouer sur une plage.

Hélas, il lui fallut bien se rendre à l'évidence. Le

vent soufflait au contraire en sens inverse, l'éloignant de plus en plus du rivage.

Courageusement, elle continua quand même de pagayer pour, au moins, ne pas perdre son cap. Mais, elle s'en aperçut très vite, c'était inutile. Les courtes vagues en rouleaux repoussaient le petit bateau vers le large. A nouveau, elle regarda autour d'elle. La côte s'éloignait et rien n'était en vue. Elle frissonna mais, cette fois-ci, ce n'était pas seulement de froid.

Bientôt, harassée, Marine dut arrêter de ramer. Le Zodiac dansait sur les crêtes blanches, tournant sur lui-même comme un bouchon tout en s'éloignant de la terre. Une vague plus forte arriva de plein front sur la jeune fille, l'inondant de la tête aux pieds.

Abandonnant le banc sur lequel elle s'était assise pour ramer, elle essaya de se glisser sous l'avant du bateau où elle serait un peu à l'abri. Mais cela ne servait pas à grand-chose. Les vagues commençaient à être fortes et jouaient avec le frêle esquif comme avec un bateau d'enfant. Elles arrivaient en douches froides, presque glaciales, sur Marine recroquevillée sur elle-même, transperçant sa robe, qui maintenant était complètement trempée. Chaque nouvelle vague était un nouveau supplice pour elle.

Malgré tout son courage, la jeune fille avait horriblement peur. Elle se sentait perdue, en pleine mer. La côte avait disparu. Autour d'elle il n'y avait plus que la nuit et l'eau qui l'encerclaient de toutes parts. La lune était dissimulée par les nuages ; elle n'avait même plus cette pâle lumière pour la rassurer.

Une vague plus forte qu'une autre ne risquait-elle pas de renverser le Zodiac ? De toute manière, l'eau

112

y pénétrait de plus en plus et elle en avait jusqu'aux chevilles.

Marine pensa : « *Il faut que j'ouvre les " vite-vite "* ». On nomme ainsi ces petites valves de caoutchouc qui permettent d'évacuer l'eau sans pour autant laisser pénétrer la mer. Mais, sur le Zodiac, ils sont situés à l'arrière et au ras de l'eau, presque impossibles à atteindre par gros temps. Pourtant, se mettant à quatre pattes, la jeune fille essaya de se traîner jusque-là, s'accrochant à tout ce qui pouvait lui permettre de gagner l'arrière. Elle avait presque atteint le moteur. Les « vite-vite » se trouvaient en dessous. Elle comptait s'agripper à lui pour tirer les ficelles qui les ouvraient. Mais une vague plus forte que les précédentes la renversa avec une telle violence qu'elle crut passer par-dessus bord.

Un sourd grondement se fit entendre à l'horizon et se répercuta sur la mer, comme l'annonce d'un cataclysme.

Un long éclair zigzagua dans le ciel noir, le déchirant en deux, éclairant quelques secondes d'une lumière fulgurante et irréelle une mer qui semblait déchaînée.

A demi évanouie, la jeune fille retomba au fond du bateau, où l'eau montait de plus en plus...

Au loin, un bourdonnement se faisait entendre. Il tira Marine de son inconscience. Cramponnée aux poignées de cordage du Zodiac, elle tenta de se mettre à genoux. Le bruit était de plus en plus fort. Il n'y avait pas à s'y méprendre : c'était celui d'un moteur de bateau.

Se redressant, elle tenta de l'apercevoir. Allait-il passer à côté d'elle sans la voir, dans cette nuit épaisse ? Ou, pire, ne risquait-il pas de l'aborder sans s'en rendre compte et de couler le petit canot ?

Elle tâcha d'atteindre les fusées, mais elle comprit qu'elle n'aurait même pas le temps d'ouvrir le sac isolant dans lequel elles se trouvaient. Sa main heurta un objet dur : la corne de brume. Le bruit du moteur devenait de plus en plus puissant, couvrant celui de la mer. Marine discernait maintenant les feux de position de ce qui lui semblait être un yacht.

Il s'approchait à toute allure sur le Zodiac, sans l'avoir vu, elle en fut certaine.

Elle porta à sa bouche la corne de brume. Le mugissement en serait-il assez puissant pour être entendu ? De toutes ses forces elle souffla dedans. Un son rauque, profond, en sortit. Elle recommença, recommença encore.

Il lui sembla que le bateau qui venait vers elle ralentissait. Oui, elle en était sûre maintenant, il avait réduit sa vitesse, la réduisait de plus en plus. Un phare puissant cherchait sur la mer à situer le son de la corne de brume. Elle se leva pour mieux se faire voir : minuscule silhouette que la mer tentait de renverser.

Elle voyait avec netteté le bateau. C'était un puissant hors-bord qui, toute vitesse réduite, se dirigeait vers le canot. Une voix d'homme lui cria des mots, mais ils furent emportés par le vent et elle ne comprit pas.

Le gros bateau stoppa, juste à côté d'elle ; une échelle fut jetée vivement.

Et c'est alors qu'elle le reconnut.

Blanc, liséré de vert sombre, c'était le hors-bord de « Don Juan ». Celui-ci se tenait debout à l'avant, mains sur les hanches, corsaire prêt à l'abordage.

Marine regarda la mer, l'homme. Elle ne savait plus duquel des deux elle avait le plus peur.

Jean lui criait ;

— Montez vite ! Vite !...

Mais elle restait paralysée au milieu du Zodiac, incapable de faire un mouvement. Elle entendit le pianiste jurer, puis d'un bond souple il sauta près d'elle. Marine tremblait de tous ses membres. Qu'allait-il faire ?

Il l'avait prise par la taille et, la tenant d'un bras contre lui, il remontait les trois échelons de la minuscule échelle qu'elle n'aurait même plus eu la force de franchir seule.

Entre ses dents, il grondait :

— Folle ! folle... Mais qu'est-ce qui vous a pris ? Jamais, non jamais, je n'ai eu aussi peur de ma vie !

Elle comprit que c'était vrai, et ne le craignit plus. N'en pouvant plus de fatigue et d'angoisse, elle se laissa aller contre lui, qui la portait dans ses bras comme un enfant.

Subitement, elle sentit ce corps viril contre le sien, aussi précis que s'ils avaient été nus l'un et l'autre. Lui n'avait que son pantalon, et il la serrait contre son torse de toute sa force d'homme. La robe de voile léger était si mouillée sur Marine qu'elle ne faisait que mieux ressortir le corps ravissant que ne cachaient ni soutien-gorge ni slip.

Malgré le froid, malgré sa peur, un trouble profond envahit la jeune fille. Jean le ressentait-il de la même façon ?

Il venait d'entrer avec elle dans la petite cabine du hors-bord ; il attrapa une couverture et la lui tendit.

— Quittez cette robe et roulez-vous là-dedans tout de suite. Ah ! Vous êtes dans un bel état !...

Elle le regarda, terriblement gênée :

— Voulez-vous vous retourner, s'il vous plaît, que je puisse l'enlever ? Elle hésita avant d'ajouter à voix basse : je suis' nue dessous.

Il la toisa avec un sourire ironique :

— Ça se voit, vous savez. Il est inutile que vous le disiez !

Mais, tout en haussant les épaules, il lui tourna le dos.

Pendant que, le plus rapidement possible, elle avait laissé glisser sa robe et s'enroulait dans la chaude couverture, le musicien avait ouvert un bar encastré dans la minuscule cabine. Elle le vit qui en sortait une bouteille et deux verres.

Maintenant, Marine sentait combien elle avait froid : jusqu'au fond des os. Elle s'entendit claquer des dents sans pouvoir s'en empêcher.

— Je suppose qu'à présent vous êtes visible, dit Jean, sarcastique.

Il se retourna, un verre dans chaque main. Mais en voyant Marine son ton perdit instantanément son ironie.

— Seigneur ! Mais vous êtes verte... Buvez ça tout de suite, et d'un seul coup !

Il porta le verre aux lèvres de la jeune fille. Obéissante, elle avala le liquide, et faillit le recracher tellement il lui brûlait la gorge. Mais en même temps une chaleur délicieuse l'envahissait.

— Buvez, disait-il... jusqu'à la dernière goutte, là, c'est bien... Vous avez déjà repris un peu de couleurs.

Elle sentait la tête lui tourner légèrement, mais c'était assez agréable. Elle sourit :

— Que m'avez-vous fait boire ?

116

— Du whisky pur. C'est le seul moyen, dans l'état où vous êtes, pour vous empêcher d'avoir une pneumonie ! Mais comme vous n'en avez sans doute pas l'habitude, il vaudrait mieux vous étendre maintenant.

Il l'avait reprise dans ses bras, autoritaire. Mais que cette autorité était douce à Marine ! Il l'allongeait sur une des couchettes et remettait sur elle une autre couverture.

Puis, à son tour, d'un trait il avala l'alcool contenu dans son propre verre.

— Vous savez que c'est un miracle que je vous aie trouvée, et un autre que je vous aie vue ! Sinon, j'allais vous aborder et vous couler sans même m'en apercevoir. Heureusement que vous avez eu l'idée de faire marcher la corne de brume.

Il la considéra quelques secondes. Sur son visage se lisait encore la fureur, mais Marine n'avait plus peur de cette colère qu'elle sentait pleine de tendresse. Il marmonnait :

— Si seulement je comprenais ce qui vous a pris. J'ai couru derrière vous pour m'excuser de ma violence. — Il ricana avec amertume : une fois de plus ! — Mais j'avais beau vous appeler, vous n'écoutiez rien !

Elle se souvint qu'il avait crié son nom, mais sa peur avait été la plus forte. Ainsi, ce n'était pas pour lui faire du mal qu'il courait derrière elle, mais pour la rassurer, la tranquilliser ! Elle maudit sa propre sottise.

Il continuait :

— Alors, j'ai pensé qu'il valait mieux que je rentre. Lorsque vous seriez calmée, ai-je cru, vous reviendriez. Mais quand, au bout d'une heure, je ne vous ai pas vue rentrer, j'ai commencé à m'inquiéter. Je suis descendu jusqu'à la plage, pensant que vous y étiez...

Il serra les poings :

— Et c'est alors que j'ai vu que le Zodiac lui aussi avait disparu ! Quelle folie vous avait prise ?

Machinalement, il avait à nouveau versé du whisky dans son verre et dans celui de Marine.

Celle-ci hésita quelques secondes puis porta le sien à ses lèvres. Elle tremblait encore malgré les couvertures. L'alcool, pensa-t-elle, l'aiderait à se ressaisir.

Il la regardait, décontenancé, comme il avait dû l'être sur la plage, en voyant parti le petit bateau. Elle l'imaginait si bien, tel qu'il était en ce moment devant elle, à demi nu, renvoyant en arrière, d'un geste de tête qu'elle avait appris à connaître, ses cheveux décolorés par la mer et le soleil.

D'une voix sourde, comme s'il parlait pour lui-même, il continuait à raconter :

— J'ai sauté dans le hors-bord et je suis parti vers Andratx, persuadé que c'était là que vous étiez allée. Comment, mais comment la pensée que vous étiez partie de l'autre côté aurait-elle pu seulement m'effleurer ? Au fait, où aviez-vous l'intention de vous rendre ?

— A Palma...

— A Palma !

Il la regardait, effaré :

— Et moi qui vous prenais pour une fille intelligente et raisonnable ! Raisonnable... quarante kilomètres sur mer, en pleine nuit, dans une coquille de noix, avec des caps à franchir ! Mais pas un marin ne l'aurait tenté, ma pauvre enfant... Et évidemment

118

vous n'avez même pas vérifié si vous aviez assez d'essence ?

Elle baissa la tête, consciente qu'elle s'était conduite comme un enfant.

A nouveau, il répétait :

— Mais pourquoi ?

Pouvait-elle lui répondre : « Parce que j'ai eu tellement peur de vous, que la mer, la nuit, le danger même, me faisaient moins peur ! »

Elle n'en eut pas l'audace.

Appuyé contre le bar, Jean reprenait son récit :

— Sur le moment, je n'ai pas été très inquiet. La soirée était belle et la mer calme. Un peu trop calme même, pour mon goût. Quand la Méditerranée est aussi douce, il faut se méfier d'elle comme d'une femme ! Mais de toute manière, même si elle devenait hargneuse, vous aviez largement le temps d'atteindre le port d'Andratx... C'est quand je n'y ai pas vu ancré le Zodiac que j'ai vraiment commencé à me tourmenter. Vous n'aviez pu que longer les côtes : si je ne vous avais pas rencontrée en venant à Andratx, c'est que vous vous étiez dirigée en sens inverse !

» J'ai fait demi-tour ; mais cette attente à la maison, cette recherche infructueuse ensuite avaient pris du temps ! Comme je m'y attendais, la mer était devenue méchante. Pour un bateau comme celui-ci elle était houleuse, rien de plus, mais pour un Zodiac c'était une mini-tempête. Alors, là, j'ai vraiment commencé à m'affoler... J'avais beau avancer, je ne vous voyais toujours pas.

Marine l'écoutait ; ses paroles lui parvenaient curieuses, bizarres, lui semblait-il. Comme si elles se déformaient, changées de sens en passant par les lèvres de Jean. Elle se sentait dans un état second où elle avait à la fois envie de rire et de pleurer.

— C'est alors que j'ai pensé, disait le musicien, que vous étiez peut-être tombée en panne sèche et que, dans ce cas, le vent vous déportait vers le large.

Il se reversa du whisky. Il ressemblait, Marine s'en rendit compte, à un dormeur qui n'arrive pas à s'arracher complètement à son cauchemar.

— Mais vraiment, redit-il à voix basse, c'est un véritable miracle que je vous ai retrouvée !

Jean se tenait debout, appuyé contre la cloison, la tête un peu renversée en arrière. Son visage immobile semblait sculpté dans la pierre.

C'était au tour de Marine de le regarder intensément. Et elle s'aperçut qu'il était aussi trempé qu'elle. Ses cheveux luisaient comme un casque ; de fines gouttelettes d'eau s'accrochaient aux légères boucles de sa poitrine ; ses pieds nus avaient laissé leurs empreintes sur la moquette et son pantalon de toile effrangé était ruisselant, déchiré probablement alors qu'il sautait dans le Zodiac.

Il était étrangement beau, d'une beauté de dieu marin qui vient de jaillir de l'écume. D'une beauté troublante, sensuelle, qui bouleversa la jeune fille. Elle balbutia :

— Don Juan... je voudrais vous comprendre. Pourquoi...

Elle allait dire « ces colères », mais, la coupant, il éclata de rire et le masque de pierre redevint un visage d'homme. D'homme qui se penchait vers elle en riant et qui disait :

— N'avez-vous pas compris, Marine... Je vous aime !

12

— Je ne sens pas le froid... Je ne sens rien, plus rien que ce désir de vous, Marine.

Il se penchait vers elle, attirant, beau et inquiétant comme un faune antique.

Marine avait senti le danger qui la menaçait : celui auquel une femme amoureuse a le plus de mal à échapper. Il ne fallait pas que Jean reste ainsi, trop près d'elle. Pour le repousser, elle avait posé ses doigts sur son torse nu, dur et froid comme un marbre. Si froid qu'elle n'avait pu s'empêcher de lui dire :

— Vous êtes glacé, vous aussi...

Il lui avait presque semblé que ces mots banals allaient les remettre tous les deux dans leur cadre normal : patron et secrétaire, d'où ils avaient glissé. Mais c'était déjà trop tard.

Dans la cabine luxueuse et tiède comme dans une bulle hors du monde, ils n'étaient plus qu'un homme et une femme en face l'un de l'autre.

Jean de Seize avait ri doucement. Posant sa main sur celle de Marine, il l'avait obligée à rester sur sa poitrine, et, mi-tendre, mi-moqueuse, sa voix avait raillé :

— Je brûle sous vos doigts, ma chérie. C'est bien suffisant !

Et puis, cessant de se moquer, il avait passé son bras autour des épaules de la jeune fille, l'avait attirée vers lui.

D'une voix basse, grave, profonde, chargée d'une lourde et sensuelle signification, il avait murmuré :

— Je ne sens rien, plus rien que ce désir de vous, Marine.

A nouveau, il se pencha vers elle ; ses yeux ne quittaient pas les lèvres de la jeune fille, les siennes étaient légèrement entrouvertes, sa respiration un peu haletante.

Marine le regardait comme une petite bête hypnotisée par un grand oiseau de proie. Vainement, elle essayait de repousser cette tentation qui la faisait frémir de tout son être.

Sa main, toujours retenue par celle de Jean, appuyait de toutes ses forces contre lui pour empêcher sa bouche de se poser sur la sienne, pour interdire à son corps de s'allonger contre le sien. Elle tâchait de s'enfoncer dans le matelas sur lequel elle était allongée, de s'y enfoncer comme si elle avait pu y disparaître.

Mais que pouvait-elle empêcher ?

Sa force d'homme la dominait, et encore plus l'amour qu'elle avait pour lui. Sous son regard ardent elle se sentait faiblir de seconde en seconde, incapable de lui résister.

Irrésistiblement, implacablement, comme si cela était écrit de toute éternité, la bouche de Jean venait vers la sienne et déjà elle savait que ses lèvres à elle

122

ne lui résisteraient pas. Qu'elles désiraient — oh! à quel point!... — ce baiser.

Il se pencha encore un peu plus et ses lèvres effleurèrent celles de Marine. Elles les effleurèrent seulement, comme si elles voulaient les frôler, pas plus.

La jeune fille sentait son cœur battre à si grands coups qu'il lui sembla qu'il allait se briser.

A quelques millimètres de la sienne était la bouche de Jean et ses yeux regardaient dans les siens comme dans un miroir. Et elle sut que ses yeux à elle reflétaient le désir de l'homme devenu aussi le sien.

Alors, alors seulement, en étant sûr, il posa sa bouche sur la sienne.

Marine se sentait tout à la fois mourir et ressusciter. Jamais plus, pensa-t-elle, elle ne pourrait exister si ces lèvres brûlantes, passionnées, la quittaient : elle ne vivait plus que par elles.

Pourtant, elles l'abandonnèrent, et la jeune fille poussa un petit gémissement de douleur, comme un enfant que sa mère délaisse. Avec infiniment de douceur et de regret, les lèvres de Jean se détachaient des siennes.

Mais si elles n'embrassaient plus Marine, elles lui parlaient. Elles lui disaient des mots que, même dans ses rêves les plus fous, la jeune fille n'avait espéré entendre.

— Je vous aime, chérie... Mon amour! si vous saviez à quel point... Vous êtes si belle, si jeune... Je voudrais tant que vous m'aimiez, vous aussi !

Si elle avait pu parler, elle lui aurait dit que ce souhait-là avait été exaucé depuis longtemps, mais l'émotion en elle était si profonde qu'elle n'aurait pu articuler un seul mot.

Jean s'était assis près d'elle sur l'étroite couchette. Elle sentait contre son corps la chaleur de son corps à lui qui la pénétrait. C'était vrai qu'il n'avait plus froid... Les doigts timides de la jeune fille effleurèrent le duvet bouclé de la poitrine. Elle était brûlante, comme si le baiser qu'ils avaient échangé était un brasier auquel il s'était réchauffé.

Elle-même, maintenant, avait trop chaud. Marine repoussa la couverture que Jean avait étendue sur elle, gardant seulement celle dans laquelle elle était enroulée.

Le musicien la regardait intensément, comme s'il ne pouvait arriver à détacher son regard d'elle. Il passa sa main sur son front, du geste d'un homme qui a du mal à se réveiller, et se leva. D'un pas que le tangage faisait rouler, il se dirigea à nouveau vers le bar, prit la bouteille de whisky, remplit leurs verres, revint vers Marine, lui en tendit un. Elle le repoussa doucement :

— Non, j'ai déjà trop bu et je n'en ai pas l'habitude.

Il haussa les épaules :

— Et alors ? C'est notre nuit, Marine. Peut-être n'en aurons-nous jamais d'autre.

Un frisson traversa le corps de la jeune fille. Qu'entendait-il par cette phrase étrange ? Que voulait-il dire ?

Mais elle n'eut pas le temps s'y réfléchir. Lui, déjà, avait vidé son verre, et il la reprenait dans ses bras. Follement, passionnément, il cherchait sa bouche, l'embrassait, murmurait des mots d'amour, et la jeune fille abandonnée dans ses bras ne pouvait que lui rendre ses ardents baisers.

Dehors, la houle balançait le hors-bord sur son

ancre. Pourtant, le mauvais temps avait dû se calmer, comme cela arrive souvent en Méditerranée après une petite tempête, car c'était plus un bercement régulier que des secousses dues à une mer déchaînée. Les grondements du tonnerre se faisaient de plus en plus lointains ; l'orage s'éloignait.

Ils étaient seuls tous deux sur la mer calmée. Seuls au monde.

— ... et plus rien ne compte que nous deux, mon amour, murmurait Jean.

Sa main tentait de repousser la couverture que Marine avait enroulée autour d'elle ; elle cherchait, caressante, la nudité de son corps, le troublant jusqu'au plus profond de lui-même.

Mais cela, la jeune fille ne le voulait pas. Elle tenta de repousser l'homme qu'elle aimait.

— Non, Jean... non. Il faut me laisser. Il faut rentrer.

Elle sentit la faiblesse de sa voix ; à la fois elle suppliait, ordonnait et acceptait.

Elle comprit que sa volonté seule luttait. Son corps, lui était prêt à se soumettre.

La caresse se fit plus précise, et peut-être allait-elle s'y abandonner... Soudain, elle revit, aussi nette que si elle venait d'en pousser la porte, la « chambre de l'Inconnue » : de la femme de Jean ? D'une autre ? Ou de plusieurs autres ?

Était-ce dans cette chambre d'amour que le musicien emmenait ses conquêtes ? Il devait avoir peu de mal à se donner pour les séduire. Pas plus qu'il n'en avait eu pour conquérir Marine. Avec sa beauté virile, sa célébrité de grand pianiste, il devait avoir toutes les femmes qu'il voulait.

Et elle, petite jeune fille insignifiante à ses yeux, sa secrétaire, qu'était-elle réellement pour lui ?

La jalousie la rendit à elle-même.

Sous l'assaut de l'homme, la couverture avait glissé, découvrant les épaules de Marine, ses jeunes seins qui se dressaient orgueilleusement et que, tels des fruits, le musicien allait prendre dans ses mains.

Vivement, la jeune fille tira la couverture sur elle pour s'y dissimuler. Ses forces décuplées par la volonté d'échapper à Jean, elle le repoussa, essayant de le rejeter hors de la couchette.

Mais, lui, à nouveau, sans s'occuper de ce refus, tentait de la reprendre dans ses bras. La joute amoureuse devenait lutte. L'homme civilisé cédait la place à un homme du fond des âges pour qui la femme n'était qu'objet de plaisir.

L'alcool qu'il avait bu exaspérait en lui le désir qu'il avait d'elle. La jeune fille s'en rendit compte avec effroi : Jean était dans un état second qui faisait de lui un autre homme ; un homme qui voulait cette femme, même contre son gré. Et d'autant plus, peut-être, qu'elle lui résistait.

D'une main, violemment, il l'avait plaquée sur le lit. Marine savait qu'elle n'était pas de force à lutter contre lui, et que ses supplications ne l'atteignaient pas. Les entendait-il seulement ?

Affolée, elle vit tout près d'elle l'autre main de Jean qui caressait son visage, et, ne sachant plus que faire pour se défendre, comme une petite chatte en colère, elle la mordit.

Ce n'était pas une morsure bien méchante, mais elle fut suffisante pour dégriser d'un seul coup le pianiste.

Ébahi, il regardait son doigt, où perlait une goutte

126

rouge... Puis lentement il se redressa, dévisagea, surpris, celle qui venait de le blesser. Peu à peu il reprenait ses esprits. Marine lisait sur ce visage qu'elle connaissait si bien les états par lesquels Jean passait.

Après l'étonnement, une certaine tristesse, l'ironie maintenant, s'allumait dans son œil ; le sourire se jouait, moqueur, sur les lèvres qui l'embrassaient passionnément quelques minutes auparavant.

C'était celui qu'elle détestait, qui était devant elle, aussi sarcastique qu'il avait été tendre, aussi glacial qu'il avait été amoureux.

Il prit sur le bar son paquet de cigarettes, en tira une, l'alluma. Il toisait Marine, et il lui parut subitement très grand. Elle se sentit ridicule, recroquevillée sur ce lit, ramassant autour d'elle comme elle le pouvait la couverture qui cachait sa nudité ; ses cheveux, en désordre, encore mouillés d'eau, tombaient sur son visage ; de la main, elle les repoussa en arrière, puis s'assit sur le bord de la couchette, désespérée.

Il l'observait, avec un sourire amusé, ses yeux ne la quittant pas une seconde, comme pour mieux la gêner.

C'était comme si rien ne s'était passé entre eux, comme si d'un trait il venait de barrer tout ce qui avait eu lieu. L'avait-il seulement embrassée ? Lui avait-il dit qu'il l'aimait ?

— Vous voudriez sans doute que je sorte pour vous permettre de vous rhabiller. Votre robe doit être sèche, maintenant. Vous pourrez la remettre. Eh bien, je vais finir ma cigarette ici et je ferai ensuite selon votre bon plaisir.

Il examina la petite plaie qui avait cessé de saigner.

— Un véritable petit fauve ! Que ne ferait pas une jeune fille pour défendre sa vertu ! C'est grave, cela, vous savez : mordre les doigts d'un pianiste, l'empêchant de jouer... J'aurai enfin une bonne excuse pour ne plus faire de musique.

Il plaisantait, mais avec une telle amertume qu'elle ne put échapper à Marine.

Rougissante, elle murmura :

— Pardonnez-moi... Cela a été instinctif.

Elle buta sur la fin de la phrase ; sa gorge se serrait, les larmes lui montaient aux yeux. Surtout, il ne fallait pas qu'il s'en aperçût. Affermissant sa voix, y mettant autant d'ironie qu'elle put, elle ajouta, avec une désinvolture qu'elle ne ressentait pas :

— Je ne pense quand même pas que ce soit trop grave.

Et en même temps, malgré elle, son corps se plaignit de ne plus avoir ce corps d'homme contre lui. Cela lui fut aussi douloureux que si on l'avait battue.

Tranquillement, aussi calme que s'il n'avait jamais prononcé aucun de ces mots d'amour si ardents qui la brûlaient encore, Jean fumait avec la nonchalance qu'il aurait eue, seul, dans son salon.

Il avança la main vers la bouteille de whisky, puis, fronçant légèrement les sourcils, s'abstint.

— C'est à moi de m'excuser, dit-il avec une insolente courtoisie, j'avais oublié que vous étiez une jeune fille.

Marine eut l'impression que tous ces mots étaient des pierres qu'il lui jetait. Ils lui faisaient aussi mal.

— Ou plutôt, se reprenait-il, je l'ignorais. Vos baisers semblaient tellement ceux d'une femme... Comment dirais-je ?... avertie, que je m'y suis laissé prendre.

Le ton de sa voix était d'une impertinence sans nom et son regard ironique ne quittait pas la jeune fille.

Marine sentait s'empourprer ses joues sous ce regard inquisiteur d'homme à femme, car il continuait à la dévisager, avec hardiesse, un petit sourire jouant sur ses lèvres.

Les mots qu'il lui avait dits étaient-ils donc faux ? Ne les avait-il jamais réellement pensés ? Faisaient-ils partie de son vocabulaire de « Don Juan » ?

Comme elle l'avait craint, quand elle l'avait repoussé, avait-il simplement voulu profiter de son trouble ? Était-ce un homme sans scrupules qui avait deviné que sa petite secrétaire était amoureuse de lui et qui s'était amusé à jouer avec elle comme le chat avec la souris ?

Il éteignit sa cigarette.

— Voilà, je tiens ma promesse : je vais remettre le moteur en marche et vous ramener à la maison. Essayez de ne plus vous enfuir, cela m'évitera de perdre mon temps à courir après vous pour vous sauver !

Il passa le seuil de la petite cabine, aussi indifférent que si rien n'avait eu lieu.

13

Jean et Marine étaient rentrés sans plus échanger un seul mot ; elle, restée dans la cabine ; lui, conduisant le hors-bord au maximum de sa vitesse.

Sans même un soupir, ces deux êtres qui dans cette nuit d'épouvante avaient été si proches l'un de l'autre s'étaient séparés sur le seuil de la maison, allant chacun dans sa chambre.

En entrant dans la sienne, l'orgueil ne la tenant plus, la jeune fille put enfin se laisser aller à son désespoir. Elle s'aperçut dans la grande glace, qui, si souvent, lui avait renvoyé l'image ravissante de sa beauté. Quoi ? était-ce elle, cette femme inconnue qui la regardait avec une tristesse sans nom ? La belle robe blanche achetée la veille — la veille ! — à Andratx était tachée, froissée, déchirée. Cet après-midi, dans le petit port où elle s'était trouvée si malheureuse, lui apparaissait comme un rayon de soleil clair et gai à côté de ce qu'elle venait de vivre.

Les cheveux en désordre, embrouillés, encore humides, tombaient en mèches n'importe comment, sur les épaules autour d'un visage blême, aux grands yeux cernés, à l'expression hébétée. Elle était pieds

130

nus sur le sol de carreaux anciens, et cela ajoutait encore à sa détresse.

« Mon Dieu, pensa-t-elle, j'ai l'air d'un chaton que l'on vient de retirer de l'eau. Que dirait maman si elle me voyait ? »

Comme elle s'examinait dans le miroir, elle vit que des larmes coulaient silencieusement sur son visage. Elle ne s'était même pas rendu compte qu'elle pleurait. C'était une détente nerveuse après la tension de cette nuit passionnée et horrible.

Était-ce donc cela l'amour ? Ce mélange de brutalité, de tendresse, de méchanceté, de mots divins ? Un choc qui vous laissait étourdie, pantelante, ne sachant plus où vous en étiez, avec le goût amer du désespoir dans le cœur !

Elle repensa à sa mère, à son sourire lumineux lorsqu'elle regardait Charles, son nouveau mari ; l'affection délicate que celui-ci lui manifestait n'avait rien à voir avec cette passion sauvage qui venait de se déchaîner près d'elle — et en elle.

Elle regarda sa montre : 5 heures. Dans quatre heures, elle serait bien coiffée, normalement habillée, dans le petit bureau, attendant que son « patron » lui dicte le courrier.

Mais viendrait-il ? De toute façon, et quoi qu'il dût se passer ensuite, elle tenait à se montrer impeccable. Elle ne voulait pas que « Don Juan » pense qu'il l'avait brisée définitivement. Elle ne voulait pas lui offrir le spectacle, qui l'aurait sans doute ravi, de son infortune.

Marine se dit qu'une douche chaude la calmerait. Il lui semblait qu'en coulant sur son corps l'eau le laverait de cette nuit. Et, en même temps, elle savait qu'elle ne l'oublierait jamais, qu'elle serait jusqu'à la fin de sa vie le plus atroce, mais aussi le plus précieux, de ses souvenirs.

Ses cheveux noués sur sa nuque, légèrement maquillée pour masquer sa pâleur, vêtue simplement d'un jean et d'un chemisier rose, Marine attendait dans le bureau. Jean allait-il venir ?

Il entra. Pareil à la première fois où elle l'avait vu. Dans sa sobre élégance, chemise et pantalon marron, sandales de cuir, il n'avait plus rien à voir avec le corsaire insolent et passionné de la nuit.

Il salua de la tête la jeune fille :

— Bonjour, Ma... Il s'arrêta sur la première syllabe du mot et elle se demanda s'il allait dire « mademoiselle ». Il reprit : Marine...

Tout en dictant le courrier, quelques lettres sans intérêts, il regardait sa montre de l'air d'un homme qui a un rendez-vous. Il s'interrompit au milieu d'une lettre, resta quelques secondes à réfléchir, puis dit :

— Je devais déjeuner avec Reine Cassar. Auriez-vous l'obligeance de lui téléphoner pour annuler ce déjeuner ?

Il avait l'air embarrassé de quelqu'un qui cherche une excuse, puis il eut un geste vague, un peu excédé.

— Oh ! après tout, autant lui dire la vérité ; elle finira toujours par l'apprendre : j'ai rendez-vous avec mon imprésario Roland Biret, qui arrive de Paris. Dites à Reine que je n'ai pas pu la prévenir plus tôt, car il m'a téléphoné seulement ce matin pour me dire qu'il prenait l'avion de dix heures.

Il hésita encore, haussa les épaules :

— C'est tout. Elle comprendra ! Je ne peux pas l'appeler moi-même. Il faut que je parte à l'aérodrome ; j'ai juste le temps.

Comme il était sur le pas de la porte, il se retourna vers la jeune fille, courtois et glacial :

— Vous me seriez agréable en lui transmettant tel quel ce message et en vous abstenant de le commenter ; je n'aime pas les commérages !

Il fit, comme à son arrivée, un bref signe de la tête pour la saluer, puis il sortit.

Le bloc à la main, Marine était seule dans la petite pièce ensoleillée ; dehors, elle entendait Magdalana aller et venir, vaquant à ses occupations.

La vie était toujours la même : sur une plage, quelque part, des enfants jouaient. Sur la mer, comme sur une carte postale, des voiliers étaient immobiles, attendant le vent. Aux marchés, on vendait des fruits, des poissons.

Et pourtant tout était changé ! Plus rien, pour Marine, ne serait jamais semblable. Il lui semblait qu'elle voyait toutes ces choses de la vie au travers d'une glace. Elles étaient là, mais Marine ne pouvait plus les atteindre, ne pouvait plus s'en réjouir : elle n'était plus qu'une spectatrice des joies qu'offrait l'existence !

Quoi ? Cet homme qui, cette nuit, lui avait dit : « Je vous aime », qui l'avait tenue dans ses bras avec une telle passion, ne lui avait même pas dit un mot, non pas d'amour, mais simplement amical.

C'était donc pour lui comme si cette nuit n'avait jamais existé. Il l'avait simplement supprimée de sa mémoire.

Elle se rendait compte que, sans se l'avouer, elle avait espéré une explication, une réconciliation, des mots tendres et doux qui auraient effacé la brutalité des gestes. Au fond d'elle-même, il lui avait paru impossible que tout cela n'ait été que comédie pour abuser d'elle.

« Don Juan » : comme il portait bien son nom ! Il s'était amusé de cette petite fille amoureuse. Une proie facile, avait-il dû penser. Et, quand elle s'était rebellée, il avait laissé tomber. Que lui importait une femme alors que tant d'autres, il l'avait dit lui-même, étaient à ses genoux ?

Il semblait à Marine qu'à l'intérieur d'elle-même tout se détachait, mourait.

Elle n'avait pas bougé depuis que la porte s'était refermée sur Jean. Elle était comme immobilisée par la tristesse.

Sa dernière phrase, que sur le moment elle n'avait pas écoutée, retentissait maintenant à ses oreilles : « Vous me seriez agréable en lui transmettant tel quel ce message, et en vous abstenant de le commenter. Je n'aime pas les commérages. »

Elle regarda, interloquée, la porte qui venait de se refermer sur lui. Qu'avait-il voulu dire ? Et puis elle comprit.

Jean de Seize avait entendu l'avant-veille ce qu'avait dit Reine, mais seulement la fin de sa phrase, et il avait pensé que c'était en réponse à une question de Marine. C'était elle qu'il avait crue indiscrète, non la cantatrice.

Qu'importait, après tout ? Marine, maintenant, était bien décidée ; quand le pianiste rentrerait ce soir, il ne la trouverait plus. Elle serait définitivement partie. Elle ne voulait pas rester une journée de plus chez lui.

Avant de téléphoner à Reine, la jeune fille appela l'aérodrome. Un avion s'envolait à destination de Paris à 16 h 30.

Elle y retint sa place. Puis elle tapa un petit mot qu'elle laisserait en évidence pour s'excuser : elle était obligée de partir brusquement en France, où des affaires familiales l'appelaient. Ainsi tout était en ordre.

Puis elle fit le numéro de Reine, appréhendant ce que la cantatrice allait encore lui dire. Elle ne désirait même plus savoir la vérité, simplement tenter d'oublier ces quelques jours. Comme si cela avait été possible !

Reine dormait encore quand Marine lui téléphona. La jeune fille, qui ne tenait pas du tout à parler avec elle, s'en réjouissait déjà, lorsque sa secrétaire dit en riant :

— Je vais la réveiller. Votre coup de fil me donne un bon prétexte pour cela.

Avant que Marine ait eu le temps de protester, elle entendit la jeune femme qui disait sur la ligne intérieure :

— Mademoiselle Reine, réveillez-vous. On vous demande de la part de M. Jean de Seize.

Il y eut un grognement, quelques bâillements, puis la voix de la chanteuse, encore tout ensommeillée :

— C'est vous, Jean ?

— Non... Marine.

— Ah ! bonjour, mon petit chou. Comment allez-vous ? Je crois que j'étais un peu noire la dernière fois qu'on s'est vues. J'ai dû vous raconter pas mal de bêtises...

Un bâillement qui semblait celui d'un jeune hippopotame interrompit la phrase. Reine avait du mal à s'éveiller.

Marine se demanda si la cantatrice allait reprendre la conversation commencée aux Mini-folies ou si, au contraire, elle désirait lui faire croire que dans son ivresse elle avait affabulé. De toute manière, la jeune fille était décidée à couper court à toute conversation qui risquerait de rouler sur Jean. Il était inutile que celui-ci en fît la recommandation : d'elle-même, elle l'aurait fait.

Rapidement, elle transmit la commission du pianiste.

Elle allait lui dire au revoir et raccrocher, lorsque la voix, cette fois bien réveillée, lui parvint

— Parce que Roland s'est enfin décidé à venir. Ce n'est pas trop tôt ! J'espère qu'il va faire entendre raison à Jean. Il est le seul qu'il écoutera... Parce qu'enfin, abandonner sa carrière, c'est de la folie ; ne trouvez-vous pas ?

Mais Marine, sans en entendre plus, avait raccroché. Elle fut gênée de ce geste impoli, mais c'était le seul moyen d'éviter les commérages de la trop bavarde chanteuse. Celle-ci croirait sans doute qu'on les avait coupées. Du moins la jeune fille l'espérait. De toute façon, elle était résolue, si le téléphone sonnait, à ne pas répondre.

Elle tapa les quelques brèves lettres dictées par le pianiste. Les dernières qu'elle faisait pour lui.

Puis elle rangea le bureau, mit son petit mot sur la table de façon que Jean le vît dès qu'il entrerait, et sortit.

Magdalena avait fait des calmars farcis pour déjeuner, parce qu'elle savait que la « senorita » les aimait. Parfumés, tendres, délicieux, ils étaient accompagnés d'un petit vin rosé, fruité, qui faisait ressortir leur goût de fruits de mer.

Mais Marine se forçait pour les manger, afin de ne

pas décevoir la brave femme, qui cherchait constamment à lui faire plaisir. Elle pensa qu'elle devait lui annoncer son départ. Ce serait la moindre des choses. Et puis il fallait qu'Antonio l'accompagne à l'aérodrome. Sinon, comment ferait-elle ?

Elle donna à la femme de charge la même raison que dans son mot à Jean : elle venait de recevoir un coup de fil de France qui l'obligeait à rentrer immédiatement à Paris.

Magdalena était consternée. Qu'allait faire « Don Juan » sans sa secrétaire ? Et elle-même ? Elle s'était tellement bien habituée à la jeune fille... Au moins, celle-ci allait-elle revenir rapidement ?

Faisant un pieux mensonge pour ne pas la décevoir, Marine lui affirma que oui.

Quant à Antonio, bien sûr, il était au service de la « senorita », et la descendrait à l'aéroport dès qu'elle serait prête.

La jeune fille regarda une dernière fois autour d'elle. L'hibiscus se glorifiait comme d'habitude de ses merveilleuses fleurs ; à travers les arcades du patio, la mer brillait entre les pins. En bas du petit bois, il y avait la minuscule plage, et, devant, les hors-bord.

En frissonnant, Marine revit sa fuite. C'était hier soir, et pourtant il lui semblait qu'un siècle s'était écoulé depuis cette course éperdue.

Avec une acuité presque intolérable, elle revécut la nuit qu'elle venait de passer. Elle sentit la chaleur de ce corps viril contre le sien, exactement comme elle l'avait senti dix heures auparavant.

Oui, il lui fallait échapper à cet homme dangereux avant qu'il ne revienne, car elle le sentait, il suffirait d'un mot, d'un geste de lui, pour qu'elle reste, paralysée : mouche dans la toile de l'araignée, ligotée par un fil invisible, qui l'empêcherait de s'enfuir.

Elle partait sans savoir « qui » était « Don Juan ». Cet homme à facettes multiples lui resterait à jamais inconnu.

Mais jamais non plus elle ne l'oublierait. Avec désespoir elle s'aperçut que, malgré cette nuit, en dépit de ce matin où il était redevenu avec un calme déconcertant le « patron », elle n'arrivait pas à arracher de son cœur cet amour farouche.

Ces trois semaines qu'elle avait passées près de lui, mêlée sans le vouloir à un drame qu'elle ignorait, qu'elle ignorerait sans doute toujours, elle ne pourrait pas les oublier. Et elle savait, implacablement, qu'elles étaient plus importantes pour elle que toutes les années qui lui restaient à vivre.

Marine pensa : « des années bien mornes ; que vais-je devenir ? » Elle savait aussi qu'elle ne pourrait plus aimer un autre homme. Elle était d'une seule pièce, incapable de composer. Comme elle avait renoncé au piano, elle renoncerait à l'amour. Totalement. Jouer, par-ci, par-là, un morceau de musique, aimer un peu — plus ou moins — un homme. Non, cela ne lui convenait pas.

Elle se rappela avec un mélancolique sourire qu'étant enfant elle avait une devise qu'elle inscrivait, en la calligraphiant aussi bien que possible, sur tous ses cahiers : *Tout ou rien.*

Eh bien, ce serait rien, puisqu'elle n'avait pu avoir « tout ». Elle imagina ces longues années s'étirant les unes à la suite des autres, et ne put retenir un soupir.

Puis elle adressa un adieu muet à ce qui avait été, pendant ces quelques jours, son univers : la mer, les pins, le chant des cigales, l'hibiscus rose. Sous ses paupières closes, elle évoqua le minuscule îlot où elle s'était dorée au soleil et la chartreuse de Valldemosa

Yahn n'était toujours pas là, et Marine le regretta. Elle s'était prise d'affection pour le beau chat et elle aurait aimé, une dernière fois, sentir sous sa main son pelage soyeux, entendre son ronron affectueux. Mais le persan fugueur n'était pas encore rentré.

Elle se leva, la gorge serrée. Demain, il ne resterait rien de ce qu'ici elle avait découvert et aimé. Elle respira lentement afin de calmer les battements de son cœur, de retrouver son calme. Puis, résolue, elle se dirigea vers sa chambre.

Sur la cheminée, le bonhomme et la bonne femme, des « siruels » semblaient lui sourire.

Après avoir ouvert les placards, elle en sortit ses valises, et les posa sur la table. Elle commença à décrocher ses affaires, ne laissant dans une armoire que le petit ensemble qu'elle allait mettre pour le voyage. Bien qu'on fût en plein mois de juillet, il pleuvait à Paris, et les robes d'été n'y seraient sûrement pas de saison. Elle ne porterait sans doute plus celles que machinalement elle pliait pour ranger dans les valises.

Où allait-elle aller ? Un souci de plus, mais qui lui était indifférent. Elle ne voulait pas rentrer chez sa mère. C'était la seule chose dont elle fût sûre. Tout ce qui avait été son enfance était définitivement du passé. Et puis, non seulement elle ne voulait pas troubler le bonheur tout neuf de sa mère, mais encore — et bien qu'elle s'en voulût de ce sentiment — elle savait qu'elle ne le supporterait pas.

Toute à ses pensées, elle ne s'était pas aperçue qu'elle mettait dans la valise la merveilleuse robe verte qu'elle avait portée les deux fois où elle était sortie avec « Don Juan ». Les larmes lui vinrent aux yeux quand elle la vit jetée négligemment sur ses autres affaires ; elle qui avait choisi avec tant de gaieté ces robes, ces chemisiers, ces pantalons, qui avait mis tant de soin à faire sa valise pour partir, elle y jetait en vrac toutes ses affaires.

Soudain, elle craignit de s'être retardée ; elle regarda sa montre. Antonio devait venir la chercher à 3 heures. Elle avait encore une demi-heure devant elle.

Comme elle se remettait à sa valise, on frappa à la porte. Surprise, elle se retourna.

Don Juan se tenait sur le seuil, et il disait :

— Il est inutile de vous enfuir. Vous n'avez rien à craindre de moi ! J'ai peut-être tué ma femme, mais je ne suis pas un assassin pour autant.

14

Cette fois-ci, Jean de Seize ne jouait pas : il n'était ni amer ni sarcastique. Il n'était pas là pour l'humilier, ou pour se moquer d'elle. C'était un homme devant sa vérité, et elle comprit pour la première fois combien il était seul.

« Don Juan » se tenait très droit, appuyé contre le mur ; son visage un peu baissé offrait ce profil énigmatique et altier des seigneurs de la Renaissance. Machinalement, ses doigts faisaient tourner la chevalière qu'il avait toujours à l'annulaire de la main droite et qui portait le blason de sa famille.

Marine se tenait devant la valise ouverte, si étonnée de le voir là qu'elle restait immobile, comme figée sur place.

D'une voix un peu voilée, il expliquait :

— Une intuition. J'ai su que si je rentrais trop tard je ne vous reverrais pas. Alors, j'ai laissé Roland devant son café. Sans explication, j'ai sauté dans ma voiture et...

Il la regarda, regarda la valise :

— ... et je vois que je ne m'étais pas trompé : vous partiez.

Ce n'était ni une question ni un reproche : une simple constatation.

— Bien sûr, fit-il, je comprends...

Il fit un pas en avant, comme pour venir vers elle, et la jeune fille, malgré elle, recula.

Il eut un léger sourire, teinté de mélancolie.

— Voyons, Marine, il y a une différence entre un homme que la peur et l'alcool ont complètement saoulé, et le même dans son état normal !

Il baissa les paupières, comme s'il ne voulait pas que la jeune fille puisse lire dans ses yeux.

— J'ai été ivre deux fois dans ma vie, et cela ne m'a pas porté bonheur, car les deux fois cela m'a fait perdre la femme que j'aimais.

Il releva les yeux, fixa Marine et dit d'une voix qui se voulait calme mais qui contenait mal sa passion :

— La deuxième fois, c'était cette nuit. La deuxième femme, c'est vous, Marine...

Elle lut dans son regard que c'était vrai. Il l'aimait.

Mais déjà « Don Juan » s'était repris. Sans bouger, sans tenter même un geste vers la jeune fille, il poursuivait :

— C'est pourquoi je suis revenu. Si je vous perds, je veux du moins que vous sachiez que je ne suis ni un fou ni un criminel... du moins au sens légal du mot. Au sens moral, c'est autre chose. Est-ce que vous voulez bien retarder votre départ de quelques heures pour m'entendre ?

Elle eut envie de se jeter dans ses bras, de lui dire : « Mais moi aussi je vous aime, et rien d'autre ne compte. » Elle n'osa pas.

Tout à la fois, il était proche et très loin d'elle, comme si c'était dans un miroir qu'elle le voyait. Alors, simplement, elle murmura « oui ».

Ce petit mot sembla pourtant le soulager considérablement. De l'œil, il fit le tour de la chambre, où s'accumulaient les bagages :

— Est-ce que cela vous ennuierait de venir au salon avec moi ? Je n'aime pas les explications dans une chambre, cela me rappelle trop de souvenirs.

Sans mot dire, elle le suivit dans la grande pièce. Magdalena en avait tiré les rideaux et elle était plongée dans une pénombre dorée qui faisait penser à un cloître.

Jean marcha vers le piano et s'assit sur le tabouret : un geste qu'il avait dû faire des milliers de fois. Mais aujourd'hui il tournait le dos à l'instrument.

En face de lui, les mains unies comme pour une prière, Marine semblait perdue, dans l'immense fauteuil de cuir de Cordoue.

Une fois encore, Jean la regarda, comme on regarde quelqu'un qui part, que l'on ne reverra jamais, et la souffrance de ce regard était presque intolérable.

En elle-même, Marine lui parlait : « Mais, Jean, je vous aime. Si vous m'aimez aussi, rien n'est perdu, tout peut recommencer. » Mais, pour une raison qu'elle ne comprenait pas, les mots n'arrivaient pas à franchir sa bouche.

Peu à peu, les yeux du pianiste s'étaient détachés d'elle. C'était une autre scène qu'il voyait, une autre femme aussi, elle en fut sûre.

D'une voix sourde il commença son récit.

— Il y a un an à peu près, j'étais ici...

Son regard mélancolique fit le tour de la pièce.

— Il faut vous dire que j'aime beaucoup cette maison, cette île. Si mon père est français, ma mère, vous le savez peut-être, était espagnole ; mais ce que l'on ignore généralement c'est qu'elle était d'origine majorquine. Ici, entre deux tournées, dans cette demeure qui a été la sienne, j'aimais à venir me reposer.

A nouveau, son regard quitta la réalité pour le passé :

— Donc, je venais d'arriver après une série de concerts particulièrement fatigants, quand Reine m'appela au téléphone pour m'inviter à dîner.

» C'est étrange, je n'avais pas envie d'aller à ce dîner... (Il soupira.) Que ne m'en suis-je abstenu ! Mais elle a insisté. Je ne sais pas dire non à mes amis. Quand j'arrivai chez elle, je crus que c'était ma chance qui avait voulu que je vienne ce soir-là.

» Une créature de rêve était assise sur la terrasse que vous connaissez. Les feux du couchant illuminaient ses cheveux couleur de paille, car elle était aussi blonde que vous êtes brune, Marine. Reine nous présenta : c'était un mannequin suédois ; son rire, ses yeux verts, son corps de sirène me subjuguèrent. Moi qui avais eu beaucoup d'aventures, je n'avais jamais aimé, et, ce soir-là, j'ai cru, oui vraiment, j'ai cru que je venais de rencontrer l'amour.

Marine tenait serrées l'une contre l'autre ses deux mains. Chaque mot était une blessure que lui infligeait « Don Juan ». Pourquoi lui avait-il dit tout à l'heure qu'il l'aimait, puisque c'était cette femme blonde qu'il aimait ? Ou, alors, ses amours ne duraient-elles qu'un an ?

Elle faillit crier : « Taisez-vous ! mais taisez-vous ! Vous ne voyez donc pas que vous me torturez ? »

144

Mais là encore les mots se refusèrent à franchir ses lèvres.

— Ce fut le coup de foudre, continuait « Don Juan », tel que le décrivent les romanciers. Moi qui n'y avais jamais cru, j'en étais la victime : un mois après, j'épousai Ulla.

» Le mariage se fit le plus discrètement possible dans l'église d'un petit village, Algaïda, où il passa inaperçu. J'avais juste pour témoins mes amis les plus intimes. Je ne voulais surtout pas que les journalistes s'emparent de la nouvelle, et livrent mon amour en pâture au public. Nous sommes ici dans une petite île qui vit très repliée sur elle-même. Garder le secret fut donc assez facile. D'autant plus que le couple de domestiques que j'avais depuis des années, et qui auraient été les seuls à bavarder, avaient pris leur retraite quelque temps auparavant. En attendant d'en trouver d'autres, une maison spécialisée assurait le bon fonctionnement de la maison. Leurs employés s'intéressaient d'autant moins à ma vie qu'ils l'ignoraient totalement ; peu leur importait que je fusse ou non un musicien connu. Je vous dis cela, Marine, pour vous expliquer pourquoi rien de tout ceci n'a transpiré. Je passai trois mois merveilleux avec ma jeune épouse. Mais peu à peu je m'aperçus qu'elle n'était peut-être pas l'idéal dont tout homme rêve. Je me consolai en me disant que l'idéal n'existe pas.

» Je n'avais pas voulu partir en voyage de noces, parce que, pour moi, les voyages faisaient partie de mon travail. Être ici, dans mon île, avec la femme que j'aimais valait mille fois mieux. Sans doute avais-je eu tort : je compris rapidement qu'Ulla, elle, s'y ennuyait. Le piano...

Il sourit à la jeune fille.

— J'en faisais trois heures par jour. Vous aviez parfaitement raison en me le disant, Marine. Cela l'agaçait. Il ne faisait pas l'ombre d'un doute qu'elle aurait préféré de la musique disco. En fait, la seule chose qui lui plaisait était une vie mondaine qu'elle avait espéré trouver avec moi.

» Je mettais tout cela sur le compte de sa jeunesse. « Quand je serai en tournée, pensai-je, elle aura la vie dont elle rêve et, sans doute, comme moi, s'en lassera-t-elle rapidement. »

» Ici, nous fréquentions uniquement quelques amis, ceux qui étaient au courant de mon mariage ; parmi eux, il y avait un Espagnol, Don Domingo Ques Y Serradi. Un banquier, un des hommes les plus fortunés d'Espagne, et qui a dans l'île une immense propriété.

» Nous fûmes reçus chez lui. Le luxe de sa maison éblouit ma femme, autant qu'elle-même, je m'en aperçus, éblouissait notre hôte.

» J'aurais pu être jaloux, mais je croyais en notre amour, et je faisais totalement confiance à Ulla.

» Nous revîmes à plusieurs reprises Don Domingo, soit chez lui, soit chez des amis. Il faisait à ma femme une cour empressée, mais qui restait dans les limites du bon ton. Il m'aurait été difficile de le prendre mal : cela ne sortait pas des limites de la galanterie espagnole. Pourtant, je commençais à m'en agacer. J'eus une première scène avec Ulla parce que je refusai une invitation de Don Domingo. Puis, comme tous les amoureux du monde, nous nous réconciliâmes.

» Vous connaissez Reine. C'est une Méridionale qui a son franc-parler, mais qui a aussi un cœur d'or. C'est pourquoi je passe sur ses bavardages et ses

146

cancans, qui d'ailleurs ne sortent pas de notre petit cercle. Si elle s'est montrée avec vous d'une telle indiscrétion — dont je lui ai beaucoup voulu sur le moment —, c'est parce que vous lui avez inspiré confiance et qu'elle s'est prise immédiatement de sympathie pour vous. Il n'en était pas de même avec Ulla.

» Curieusement, et alors que c'était chez elle que je l'avais rencontrée, Reine avait été contre mon mariage. J'avais pensé qu'il s'agissait là d'une jalousie amicale. Rien d'autre : nous sommes trop bons amis pour avoir été des amants. Mais l'amitié aussi est jalouse, et souvent de l'amour ; je n'y avais donc pas fait très attention, pensant qu'avec le temps cela s'arrangerait.

» Il y avait quelques semaines que je ne l'avais pas vue — j'avais l'impression qu'elle nous fuyait — lorsqu'un soir je la rencontrai chez Joséphine de Croïe. Don Domingo aussi, par un malencontreux hasard, était là, et, comme d'habitude, il s'occupait beaucoup d'Ulla, beaucoup trop à mon gré.

» Comme cela m'agaçait de plus en plus, je m'étais isolé.

» Je fumais une cigarette devant la piscine lorsque me parvint la voix de Reine. Elle avait baissé d'au moins un octave son magnifique contralto, mais cela ne m'empêchait pas de l'entendre.

» Elle disait à quelqu'un que je ne voyais pas, mais qui devait être le maître ou la maîtresse de maison :

» — Je ne comprends pas que vous ayez invité en même temps Don Domingo et Don Juan. C'est un manque complet de tact ! Vous savez aussi bien que moi qu'Ulla...

» J'entendis des « chut ». Sans doute m'avait-on

aperçu. Elle s'arrêta net... Mais pour moi ce n'était pas suffisant ; je voulais savoir ce qu'elle allait dire. Je me dirigeai vers elle, frémissant de colère :

» — Qu'alliez-vous dire sur Ulla ?

» Elle avait pas mal bu, vous savez que c'est son péché. Elle hésita quelques secondes et puis, haussant les épaules, elle me jeta :

» — Mon pauvre Jean, vous êtes le seul à ne pas savoir que votre femme vous trompe ! Et moi je n'aime pas que l'on se rie de mes amis dans leur dos...

» Je restai sur place, abasourdi. Était-ce possible ? Quelqu'un me mit dans la main un verre que je vidai d'un trait et qui, momentanément, me rendit mon sang-froid. Je ne suis pas homme à faire un esclandre chez des amis. J'allai vers le buffet, où j'avais laissé quelques minutes auparavant ma femme. Elle n'était plus là. Tout en la cherchant, je me resservis coup sur coup deux whiskies. D'une voix que je sentais altérée je demandai à des invités où elle était. Ils eurent un geste vague... Comme par hasard, Don Domingo avait disparu lui aussi. J'eus l'impression que tout le monde me cachait quelque chose.

» Enfin, je trouvai Ulla dans un petit salon, bavardant tranquillement avec l'Espagnol. Rien, absolument rien, ne pouvait laisser supposer qu'il s'agissait d'autre chose que d'une banale conversation. Mais j'étais fou de jalousie. Je pris Ulla par le poignet : « Nous rentrons ! — Ah non ! me dit-elle. Pas encore... pour une fois que je m'amuse ! » Je serrai plus fort son poignet qu'elle essayait de dégager. Discrètement, Don Domingo s'était retiré, mais d'autres amis venaient d'entrer, qui nous regardaient avec stupéfaction.

148

» L'alcool, maintenant, me montait à la tête.

» Bousculant les invités, j'entraînai Ulla vers ma voiture, l'y poussai et démarrai...

Immobile dans son fauteuil, Marine écoutait, sans penser à l'interrompre, le récit de Jean. Elle n'était plus jalouse, elle souffrait de la souffrance de l'homme qu'elle aimait.

Le pianiste s'adressait à elle. C'était pour elle qu'il faisait ce récit, et pourtant cette plongée dans le passé semblait avoir fait de lui un « zombie », un mort vivant, qui ne voyait rien ni personne.

Il s'arrêta de parler quelques secondes, le temps d'allumer une cigarette, puis reprit.

— Inutile de vous dire que la scène commencée chez mes amis a duré toute la nuit. Des faits me revenaient, que j'avais, sur le moment, écartés de mon esprit, mais pour lesquels, maintenant, j'exigeais des explications.

» Ulla s'était couchée et, au pied de son lit, je hurlais : « Mardi, tu m'as dit que tu étais restée chez le coiffeur jusqu'à cinq heures et demie. Or, j'avais téléphoné à quatre heures, et tu n'y étais plus... Et, quand tu m'as donné rendez-vous au golf de San Vida, lorsque j'y suis arrivé tu venais soi-disant d'en partir, mais ton caddy ne t'avait pas vue de l'après-midi. »

» Ma fureur était augmentée par l'alcool que j'avais recommencé à boire.

» Ulla tremblait, sanglotait, incapable de me répondre un seul mot.

» Je finis, dans ma fureur, par lui dire : « Pars !... Va-t'en ! Je ne veux plus te voir !... »

» Je claquai la porte de sa chambre et allai me

réfugier ici. J'ouvris mon piano, je jouai pour me calmer, engourdir ma douleur. Subitement, j'entendis ma voiture démarrer.

» Je me précipitai dans la chambre d'Ulla. Il n'y avait plus personne. Je ne fus pourtant pas inquiet ; elle reviendrait, pensai-je, dans une heure ou deux. Ma fureur était tombée en même temps que mon ivresse s'était dissipée. Je voyais les choses plus normalement. Il fallait que je tire cette histoire au clair, que cessent surtout les cancans. Je n'arrivai pas à croire qu'Ulla me trompait après trois mois de mariage.

» Je me morigénai maintenant d'avoir écouté les uns et les autres, d'avoir bu, d'avoir fait à ma femme cette scène abominable. Je pensai que lorsqu'elle rentrerait je lui proposerais ce voyage de noces que je n'avais pas voulu faire après mon mariage.

Jean s'était levé... Il s'approcha de Marine, posa sa main sur l'épaule de la jeune fille qui le regardait sans dire un mot :

— Elle n'est pas revenue, Marine... Elle s'était tuée !

15

— Il était six heures du matin lorsqu'on a sonné à ma porte...

Après quelques secondes de silence qui lui avaient sans doute permis de surmonter son émotion, Jean avait repris son récit, que Marine écoutait, stupéfaite ; une mèche de cheveux barrait sa joue empourprée par l'émotion.

— J'ai ouvert, persuadé que c'était Ulla. Lorsque j'ai vu les uniformes des carabineros et leur air gêné, j'ai compris qu'un drame avait eu lieu.

» Ma femme venait d'avoir un accident mortel : elle avait raté un tournant et s'était jetée de plein fouet sur un arbre. Elle s'était tuée sur le coup.

» Un peu plus tard, un paysan qui arrivait sur sa charrette avait vu cette auto littéralement enroulée autour du platane.

» Immédiatement, aussi vite que le lui permettait son mulet, il avait été prévenir l'alcade du village. Mais lorsque les carabineros étaient arrivés, ils n'avaient pu que constater l'accident ; la femme qu'ils avaient retirée des débris de la voiture n'était plus qu'un cadavre.

D'une voix plus basse, légèrement enrouée, le pianiste ajouta :

— Curieusement, son beau visage était intact... On aurait dit qu'elle souriait. La mort avait frappé Ulla sans qu'elle s'en aperçoive.

Que pouvait dire Marine ? Quels mots employer ? De cette voix profonde et secrète qui était un de ses charmes, elle murmura :

— Jean...

Il lui sourit, releva d'un doigt la mèche qui barrait la joue de la jeune fille, et enfouit son visage dans le parfum de ses cheveux soyeux.

Ils restèrent ainsi immobiles quelques minutes, hors du temps. Ils furent tirés de cette espèce de rêve éveillé par Magdalena, qui passait dans le patio en fredonnant un fandango... La vie était là, toute proche, toute dorée de soleil, pendant que Jean racontait cette mort. Marine fixa sur lui ses yeux d'un bleu profond que les larmes retenues faisaient pareils à deux petits lacs de montagne.

Que cet homme avait dû souffrir ! Elle évoqua en elle-même ce moment tragique, si court, le temps d'ouvrir une porte sur le destin, où tout avait balancé, où le bonheur était devenu malheur.

La jeune fille comprenait tout, maintenant : la chambre abandonnée, laissée probablement par Jean telle qu'elle était lorsqu'Ulla l'avait quittée ; l'atmosphère dramatique qui régnait autour du pianiste, le secret que, pieusement, cachaient ses amis... et même ses colères. La douleur avait brisé cet homme.

Parce qu'elle l'aimait profondément, vraiment, elle oublia et sa jalousie et son amour pour lui : de tout son cœur elle aurait désiré que ce drame atroce n'ait jamais eu lieu, que Jean fût heureux aujourd'hui près de sa jeune épouse, que le piano retentisse sous ses doigts.

Il s'était assis sur le bras du fauteuil dans lequel était Marine. Un rayon de soleil, passant entre les rideaux, jouait à ses pieds. Tout était si tranquille, si heureux...

Deux vers de Baudelaire revinrent à la mémoire de la jeune fille :

> Là tout n'est ordre et beauté
> Luxe, calme et volupté.

Rien ne pouvait mieux décrire cette maison faite pour le bonheur. Le drame, le malheur et la souffrance semblaient incompatibles avec la joie qui s'en dégageait.

Lentement le pianiste passait sa main sur les longs cheveux de la jeune fille. Une caresse toute de tendresse, sans aucune sensualité ; avec la même douceur qu'il eût caressé Yahn. Le silence entre eux s'étirait, mais Marine savait que ce n'était pas à elle de le rompre.

Et en effet, à voix sourde, Jean reprenait son récit :

— Il semblait que rien ne pouvait être pire que cette mort tragique d'une femme de vingt ans. Et pourtant, il y eut pire.

Sidérée, Marine leva la tête vers lui :

— On m'a suspecté d'avoir tué mon épouse, d'avoir camouflé en accident un crime passionnel ! Et quand j'ai pu prouver que je n'avais pas quitté la maison de la nuit, qu'Ulla était partie seule dans la voiture, alors on a envisagé un sabotage de l'auto qu'elle conduisait.

Une seconde, il cacha son visage entre ses mains :

— Marine, le jour où j'ai enterré Ulla, je n'étais pas sûr qu'en sortant du cimetière je n'allais pas être arrêté.

Il eut un rire bref, plein de désolation :

— Je suis peut-être un colérique, mais je serais incapable de faire du mal à une mouche. Alors, de là à assassiner quelqu'un...

La jeune fille tourna vers lui, qui la dominait de sa haute taille, son visage bouleversé.

— Mais comment a-t-on pu vous soupçonner ? Vous !

— Quand j'ai quitté la demeure de Joséphine j'étais dans une telle fureur que je ne savais plus ce que je disais. Il paraît qu'alors j'ai menacé Ulla : je lui aurais dit : « Si j'étais certain que tu me trompes, je te tuerais. » Des mots que l'on dit dans la colère et qui n'ont rien de réel. Je ne m'en souviens même plus, mais c'est sûrement vrai, plusieurs amis me l'ont affirmé. L'ennuyeux, c'est qu'un domestique aussi a entendu cette phrase. Il a cru faire son devoir en allant la rapporter à la police. Je suppose qu'il a surtout voulu se rendre intéressant.

» La suite, je viens de vous la raconter : en même temps que je perdais ma femme j'étais presque accusé de l'avoir assassinée. Il y avait de quoi devenir fou... J'ai vécu un cauchemar dont je ne suis pas encore sorti... dont je ne sortirai peut-être jamais.

Par un geste spontané, Marine posa sa main sur celle du musicien. Il la lui prit et la porta à ses lèvres :

— Si quelqu'un avait pu m'en arracher, Marine, ç'aurait été vous. Mais même vous...

Il n'acheva pas sa phrase et reprit son récit, comme s'il avait hâte maintenant de s'en débarrasser.

— Évidemment, tout cela étant faux, il a bien fallu

se rendre à l'évidence. La mort d'Ulla était due à un accident banal dont je n'étais nullement responsable. La police, qui n'avait d'ailleurs jamais été très convaincue de ma culpabilité, a reconnu mon innocence dans les quarante-huit heures, et je n'ai plus été inquiété. Mais voyez-vous, chérie, un doute est resté, même dans l'esprit de mes meilleurs amis. La réflexion que vous a faite Reine, et — il eut un mince sourire — que j'ai entendue, ne laisse aucun doute là-dessus ! Vous savez : « Calomniez... calomniez... il en restera toujours quelque chose ! »

» Le seul qui soit persuadé que j'ai dit la vérité est mon imprésario, Roland Biret. Il est fou à l'idée que je vais abandonner le piano. C'est pourquoi il vient d'arriver : pour essayer de me convaincre. Sans y parvenir.

De plus en plus bouleversée, Marine écoutait cette douloureuse, cette atroce confession de l'homme qu'elle aimait. Elle ne put retenir plus longtemps son indignation :

— Mais moi aussi, je vous crois, Don Juan... Il est impossible que les autres, surtout ceux qui se disent vos amis, puissent douter de vous !

— Vous me croyez parces que vous êtes jeune, Marine, et, comme tous les êtres jeunes et purs, le doute ne vous a pas encore touchée. Vous ne connaissez pas l'âme humaine...

» Et puis aussi, ajouta-t-il après une courte hésitation, peut-être parce que... vous m'aimez ?

Un long frisson la parcourut. Gravement, elle répondit :

— Oui.

Mon Dieu, comme elle l'aimait ! A donner sa vie pour lui s'il l'avait fallu. Pourrait-elle un jour lui faire sentir la force, la puissance de cet amour qui ne faisait plus qu'un avec elle, qui ne mourrait qu'avec elle ?

Il serra la main qui palpitait dans la sienne comme un oiseau qu'il aurait capturé.

— Non, Marine, je n'ai pas supprimé Ulla, mais je me rends quand même responsable de sa mort. Si je ne lui avais pas fait cette scène abominable, elle n'aurait pas pris la voiture pour fuir, pour me fuir.

» Certes, je ne l'ai pas assassinée, mais c'est quand même moi qui l'ai tuée ! C'est ma colère qui l'a poussée à bout. Sinon, elle ne serait pas partie comme une folle dans cette voiture, à trois heures du matin ! Elle n'aimait pas conduire de nuit, car elle voyait mal. Si elle a dérapé, si elle s'est tuée, c'est entièrement ma faute. Moralement, oui, je suis responsable de sa mort.

Malgré elle, Marine revécut la nuit tragique qu'elle venait de passer. Elle se revit dans le Zodiac, en pleine mer. Elle aussi avait été bien près d'un accident mortel. Il aurait suffi d'une vague plus forte que les autres...

Et pourquoi ? Parce que stupidement elle fuyait, comme une bête apeurée, la colère de Jean. Elle comprit la terreur qui avait dû s'emparer de lui quand il s'était aperçu qu'elle était partie sur le frêle esquif, renouvelant le geste fatal de sa femme.

Comme s'il avait deviné ses pensées, il murmura :

— Si je ne vous avais pas retrouvée, Marine, je ne serais pas revenu non plus : un accident en mer, cela arrive tous les jours.

Elle sentit, à sa voix brisée, qu'il disait vrai.

Il s'était levé et lui tournait le dos. La jeune fille

eut la certitude qu'il ne voulait pas qu'elle vît ses larmes.

— C'est parce que ce remords me hante, jour et nuit, que j'ai décidé d'abandonner le piano ; je suis devenu incapable de me concentrer pour jouer... C'est un maléfice auquel je ne puis échapper. Pour rendre la douleur, les sanglots, la souffrance qui ont souvent présidé à la création des grandes œuvres, il ne faut pas avoir soi-même le cœur plein de tristesse et de haine !

Il regarda avec désespoir ses longues et magnifiques mains de pianiste.

— Elles n'ont plus le droit de se poser sur un clavier... On doit être pur — pur comme vous l'êtes ! — pour la musique.

Il se retourna vers la jeune fille ; oui, il y avait des larmes dans ses yeux, elle ne s'était pas trompée.

Ces larmes d'homme la bouleversèrent plus encore que les mots de sa tragique confession.

A mi-voix, Jean disait :

— Je vous ai écoutée jouer hier, Marine... Bien plus longtemps que vous ne l'avez cru. Je suis arrivé à la fin du premier morceau, mais, toute prise par le piano, vous ne m'avez pas entendu. Vous serez un jour une grande musicienne, ma chérie. Vous avez tout pour cela.

Sa voix trébucha sur les mots :

— Je crois que c'est cela qui m'a fait tellement mal ; que vous ayez le droit de jouer et moi plus ; sur le moment, je vous en ai presque voulu, comme si vous me voliez quelque chose, c'est ce qui a déclenché ma colère.

Il s'arrêta, hocha la tête :

— Je n'étais pas comme cela autrefois, Marine.

J'étais un homme gai, joyeux, heureux de vivre, calme.

Il se ressaisit, reprit ce qu'il disait :

— Et pourtant, ma chérie, je puis vous le jurer : aujourd'hui, je suis profondément heureux que vous soyez cette pianiste... parce que je vous aime.

Ces quelques mots de louange dans la bouche de celui qu'elle considérait comme un des plus grands pianistes du monde, comme son maître incontesté, auraient, en temps ordinaire, transporté de joie la jeune fille.

Elle aussi avait renoncé au piano ; elle aussi s'était dit que jamais plus ses doigts ne courraient sur un clavier... Et voici qu'une toute petite phrase venait de la rendre à la vie musicale.

Cependant, elle n'eut pas cette immense joie, cette explosion de bonheur fou que, normalement, elle aurait dû connaître. Bien sûr, quelque part au fond d'elle-même, la musicienne se réjouit, mais l'amoureuse avait pris le pas sur la pianiste. Et ce qu'elle entendit, ce qui seul compta réellement pour elle, furent ces trois derniers mots : « Je vous aime. »

Avec une ingénuité d'enfant, elle demanda :

— Mais comment pouvez-vous m'aimer, puisque vous aimez toujours Ulla ?

Ce fut au tour de Jean de regarder, perplexe, ce beau visage tendre qui se tendait vers lui, qui s'offrait comme un présent.

— Ai-je dit que je l'aimais encore ?

— Mais vous n'arrêtez pas de le proclamer ! protesta avec violence Marine. Vous ne vous en rendez même pas compte ! Mais écoutez-vous : « Vous n'aviez jamais aimé quand vous l'avez rencontrée... Vous en étiez follement jaloux... Vous l'avez épou-

158

sée dans les quinze jours… » Que sais-je ? Tout votre récit est imprégné de cette passion. Alors ? Vous ne pouvez quand même pas aimer deux femmes à la fois !

Avec un peu d'amertume et beaucoup de tristesse, elle ajouta :

— Évidemment, elle est morte et… et, moi, je suis vivante. Mais, dit-elle en retenant un sanglot, ce n'est pas une raison : c'est elle que vous continuez à aimer, Don Juan ! Moi, je ne suis… comment dire ?… qu'une copie de cet amour, une très pâle copie. Vous vous imaginez être amoureux de moi, mais c'est Ulla que vous aimez à travers moi.

La souffrance en Marine, pendant qu'elle disait cela, était presque intolérable.

Jean se pencha sur elle, la prit par les épaules :

— Une petite fille qui ne connaît rien à la vie… Voilà ce que vous êtes, mon amour ! Une très sotte petite fille malgré son intelligence. N'avez-vous donc rien compris ? Certes, j'ai été amoureux d'Ulla, parce que c'était une jolie femme que je désirais, mais notre mariage n'aurait pas résisté un an ! C'est elle que je croyais aimer, et c'est vous que j'aime. Si elle était partie pour rejoindre ce Don Domingo, par exemple, j'aurais été fou de jalousie ; d'orgueil blessé surtout ! Un homme n'aime pas que « sa » femme lui en préfère un autre ! Mais un mois après je n'y aurais plus pensé. Cela, je le savais au fond de moi, et quand je vous ai vue, ma chérie, cela m'a ébloui comme une révélation. Je sais ce que je dis : j'ai fait la comparaison, et entre vous deux, et entre mon amour pour vous deux.

» Chérie, si j'ai été odieux, comme je l'ai été au début avec vous, c'était pour me préserver de cet amour qui tombait sur moi comme la foudre. De toutes mes forces je le repoussais, je « vous » repoussais ! Mais on ne peut pas lutter contre l'amour : il est plus fort que nous...

Jean s'arrêta de parler. Marine comprit que son émotion, sa tension étaient telles qu'il avait peur de craquer.

A voix si basse qu'elle était presque inaudible, il reprit :

— Ce que je ne puis oublier, c'est la fin tragique d'Ulla. C'est ma responsabilité dans ce drame. Ce n'est pas elle !

Il se tut. Comme un lourd nuage noir qui les enveloppait tous les deux, un long, un pesant silence succédait aux douloureuses paroles.

Lentement, comme s'il avait peur que le bruit de ses pas ne rompe ce silence, Jean venait vers Marine.

Il la força à se lever, à venir vers lui.

Les bras nus et bronzés de la jeune fille pendaient le long de son corps dans une attitude d'abandon infini. Son visage aux grands yeux innocents avait une expression de confiance totale.

Jean prit Marine dans ses bras, la serrant si fort contre lui que sa chaleur la pénétra et qu'elle eut l'impression de ne plus faire qu'un avec lui.

Mais dans cette étreinte farouche toute brutalité était exclue. Ce n'était plus le désir violent qu'elle avait ressenti sur le bateau, mais toutes les nuances de sentiment que comporte l'amour.

La jeune fille posa sa tête sur l'épaule de l'homme qu'elle aimait si ardemment. Ses yeux, pareils à la mer au crépuscule quand il n'y a pas un souffle de vent, plongèrent dans les siens et leurs lèvres se joignirent pour un baiser qui était comme le sceau de cet amour.

Combien de temps cela dura-t-il ? Une minute... Une éternité ? Elle n'aurait su le dire.

Et, comme ayant perdu la notion des choses et du temps, la jeune fille s'y abandonnait complètement, Don Juan quitta sa bouche et, avec infiniment de douceur, il la détacha de lui :

— Oui, Marine, je n'ai qu'un désir : que vous soyez — et pour toute notre vie — ma femme...

» Et pourtant je ne vous épouserai pas et, demain, je vous quitterai à jamais.

16

Il faisait presque nuit dans le grand salon.

Le goût des baisers et des larmes se mêlaient sur le visage de Marine. Amertume et douceur.

Tout l'après-midi avait été un combat entre ces deux êtres qui s'aimaient, et elle en sortait vaincue.

Marine savait qu'elle était comme un animal pris au piège. Elle revit, sur le petit port de Cala Figuera où elle était allée un après-midi, les bateaux de pêche qui arrivaient. Sur le pont, il y avait de grands filets remplis de poissons. Certains essayaient de s'échapper, de sauter hors du filet qui les emprisonnait. Mais leurs bonds étaient vains, et peu de temps après ce dernier effort ils mouraient.

Don Juan se leva du fauteuil où il était assis. Debout, très grand, il étirait sans bouger son corps épuisé, comme un grand fauve qui, immobile, fait jouer ses muscles.

Une fois encore, la jeune fille l'admira. Et c'est vrai qu'il était redoutablement beau ; un « corsaire », avait-elle pensé un matin. Un « condottiere », s'était-elle dit un soir. Et il était tout cela, et plus encore. Ce n'était pas que ce seigneur florentin, à l'allure altière, au regard orgueilleux, c'était aussi, et avant tout, cette âme d'artiste qui, sous tous les masques, transparaissait sur son visage, lui donnant sa grandeur et sa douceur. La brûlante puissance de sa personnalité venait à Marine en vagues qui la heurtaient, la brisaient.

Il s'approcha des baies vitrées et en tira les rideaux. Dehors, c'était l'heure mauve du crépuscule. Un dernier rayon de soleil tombait sur l'hibiscus rose, l'éclairant comme un projecteur.

Tout en bas, dissimulée à demi par les pins, la mer devait être de satin pâle.

Jean se dirigea lentement vers la jeune fille. Puis il murmura :

— Je n'aurais pas dû venir à Majorque. Partout où je passe, maintenant, je ne crée que le malheur. A croire que je suis maudit.

D'un geste las, il se laissa tomber sur un fauteuil en face de Marine.

— Non, je n'aurais pas dû. Mais je vous l'ai dit, ma chérie, ma mère était originaire de cette île. Cette maison, je l'avais fait construire pour elle, et elle y a vécu plus de dix ans. Je ne pourrais pas la vendre... Mon cœur y est trop attaché. Revenir ici, pour moi, c'est revenir aux sources, rentrer « à la maison »... Vous me comprenez ?

Elle fit signe que oui.

Il cacha son visage dans sa main ; avec une tristesse infinie, il dit :

— Je ne sais plus où aller si je n'ai plus ce lieu de refuge qui m'accueille comme m'accueillaient les bras de ma mère. C'est pour cela que j'étais venu ici cet été.

Il hésita :

— Il me semblait qu'il me serait plus facile, moins pénible en tout cas, de... de « liquider » ma vie d'artiste, ici. Que la demeure familiale m'aiderait à supporter cette faillite. Il me fallait absolument une secrétaire à qui dicter ces lettres de rupture. Car je rompais... Je rompais avec ce qui avait été la plus grande passion de ma vie : le piano. Je ne pouvais pas ne pas en aviser les imprésarios avec lesquels je travaillais... Alors que j'aurais voulu tout oublier, il fallait que je m'astreigne à ce travail qui renouvelait chaque jour mon désespoir.

Il regarda Marine, et ce regard était comme une caresse sur le visage, sur tout le corps de la jeune fille.

— Quand j'ai fait paraître cette annonce dans *Le Figaro*, pouvais-je m'imaginer qu'une fois de plus c'était mon destin qui était en jeu ?

» Lorsque je vous ai vue entrer dans mon bureau avec ce chignon sévère, cette robe de jeune fille bien-pensante, Dieu que vous m'avez amusé !... Comme si on pouvait dissimuler sous une robe, à l'aide d'un chignon, une telle beauté. Vous aviez beau ne pas avoir maquillé vos yeux, ils étaient là, immenses, d'un bleu presque violet — et je ne voyais qu'eux.

» J'ai essayé d'être désagréable pour lutter contre cette séduction que vous ignoriez, j'aurais voulu que vous repartiez le jour même... Et en même temps, déjà, je ne pouvais plus me passer de vous.

» Chaque fois que vous me parliez musique, c'était comme un fer rouge que vous auriez posé sur moi ; je vous sentais tellement frémissante, tellement amoureuse de la musique.

» Je ne pensais pas que vous étiez pianiste, surtout une pianiste de ce talent, mais l'après-midi où, en

rentrant de la mer, du patio j'ai entendu le piano, j'ai
su que c'était vous... Et je n'ai pas été étonné.

Marine se tenait très droite, en face de lui, perdue
dans ses pensées sans s'apercevoir qu'il l'étudiait,
qu'il se remplissait de sa beauté, essayant en vain de
lui trouver une imperfection.

Don Juan posa sa main sur celles de la jeune fille,
abandonnées, comme de vaines armes, sur ses
genoux.

— En rentrant à Paris, vous irez voir Roland
Biret. Je lui ai parlé de vous. Il vous attend. Il va
faire de vous une grande pianiste. Ainsi je serai
moins malheureux, sachant que quelqu'un joue à ma
place, pour moi...

Le rêve de Marine était donc réalisé. Mais ce qui
aurait dû l'emplir d'un immense bonheur ne faisait
que la livrer un peu plus au désespoir. Elle fit
« non » de la tête.

— Plus rien ne compte pour moi que vous, Jean.

Il ordonna :

— Si, vous le devez ! Pour vous, et... pour moi.

Elle sut que, parce qu'il l'exigeait, elle lui obéirait,
mais il n'y avait aucune joie dans son cœur.

Et, une fois de plus, elle revint sur ce que tout
l'après-midi elle lui avait dit, croyant à chaque fois
qu'elle allait le convaincre ; mais ses phrases étaient
comme des vagues qui se heurtaient sur ce roc et
retombaient sans l'avoir entamé.

— Jean, le passé est le passé. Ne pouvez-vous pas
l'oublier ? Puisque vous m'aimez, puisque je vous
aime, est-il impossible que nous commencions une
vie nouvelle ?

Elle le regardait avec l'ingénuité, la candeur d'un

jeune enfant qui ne comprend pas pourquoi on lui refuse quelque chose.

Il soupira :

— Je vous l'ai dit cent fois, Marine. Dois-je encore vous le redire ?

» Je n'ai pas assassiné Ulla, mais je l'ai tuée aussi sûrement que si j'avais tiré sur elle avec un revolver.

» C'est un remords qui me hante, comme un fantôme que je n'arriverais pas à exorciser.

Il fit un geste vers le piano.

— Pour que j'y renonce, il faut que ce soit implacable en moi. Votre vie avec moi serait de partager mon enfer, petite fille... Et je vous aime trop, beaucoup trop, pour vous y entraîner. Au moment où je serais le plus amoureux de vous, je penserais à cette mort dont je suis responsable. Ulla serait constamment entre nous.

Don Juan passa son bras autour des épaules de la jeune fille.

— Venez avec moi sur le patio. Le soir est si beau, si pur...

Elle se serra contre lui et marcha comme dans un rêve vers ce calme crépuscule. Dans les pins, les cigales frottaient leurs élytres l'un contre l'autre pour en tirer cette musique primitive qui constitue leur chant d'amour.

Brusquement, Jean lui dit :

— Donnez-moi quelque chose, Marine. Donnez-moi cette dernière soirée ; comme si nous étions des fiancés heureux, comme si rien ne nous séparait. Ainsi, j'emporterai avec moi, en partant, ce souvenir comme le plus précieux de tous les trésors : un souvenir de bonheur qui m'aidera peut-être à vaincre — qui sait ? — les noirs fantasmes du passé.

166

Elle puisa dans les yeux de l'homme qui se penchait vers elle le courage de lui dire :

— Oui !

Un peu plus tard, alors que la lune montait, son croissant pareil à un arc tendu dans un ciel de velours et d'étoiles, il dit en souriant :

— Je vous emmène prendre un verre dans un endroit de Palma que vous ne connaissez pas et qui va sûrement vous plaire.

Elle pensa qu'il avait raison, que s'ils restaient là dans ce patio, dans cette maison, il leur serait impossible de jouer au jeu du bonheur.

Elle lui sourit de tout son amour :

— Je vais m'habiller... Rendez-vous ici dans un quart d'heure, Don Juan.

Toute une partie de Palma est en hauteur, dominée par la citadelle, immense château fort que les projecteurs faisaient jaillir de la nuit. A mi-hauteur, des moulins anciens se dressent, restituant un peu du passé.

— Je n'avais jamais vu Palma de nuit, dit Marine, c'est très beau...

Elle était pelotonnée dans la voiture que conduisait Jean. Ses cheveux tombaient comme une chape de soie sur sa robe du même bleu profond que ses yeux, un long fourreau de soie, ouvert, à la chinoise, sur le côté. Elle s'était légèrement maquillée pour estomper la trace des larmes, et, ainsi vêtue, ainsi fardée, elle semblait plus femme. Le chagrin aussi l'avait d'un coup mûrie, enlevant de son visage son ingénuité. Mais cela la faisait paraître encore plus belle.

— Vous allez voir les moulins de plus près, dit Jean de Seize, c'est là que nous allons. Le quartier des meuniers d'autrefois est devenu aujourd'hui celui des plaisirs : restaurants, bars, cabarets... Mais je vais vous faire passer d'abord par la place Gomilla, qui est un peu à Palma ce que Pigalle est à Paris.

Ils parlaient tous les deux comme si rien ne s'était passé, comme des amoureux heureux qui vont dîner ensemble. Il fallait pour cela une force d'âme peu commune, mais ils l'avaient promis chacun à l'autre.

Une grande place remplie par les tables et les chaises des cafés, animée par une foule bruyante et rieuse, venait de surgir, éclairée violemment par les enseignes au néon des cafés.

— Les Majorquins aiment se réunir là le soir, avant d'aller dîner, expliquait Jean de Seize, surtout les jeunes. Les touristes y ont pris le même goût qu'eux.

Un garçon de vingt ans en jean effrangé jouait de la guitare devant les cafés, accompagnant une jeune fille en robe de gitane qui dansait en faisant cliqueter ses castagnettes. Une bande joyeuse passa en chantant. Des femmes en robe du soir se dirigeaient vers un élégant restaurant. Tout ici semblait fait pour l'amusement et la gaieté. Une gaieté trop bruyante pour Marine, ce soir.

Jean vit son air inquiet, et la rassura :

— Ce n'est pas là que je vous emmène, mais dans un petit bar que j'aime bien.

Don Juan arrêta la Mercédes blanche près des moulins. A quelques mètres à peine des lieux de plaisir, les ruelles étaient sombres et s'enchevêtraient les unes dans les autres. Sur les pavés irréguliers,

Marine, qui avait mis des talons hauts, avait du mal à marcher. Jean la prit par le bras.

— Venez, je pense que ça vous plaira. Regardez plutôt.

Brusquement, ils découvraient tout Palma à leurs pieds, et, au-delà, le port paisible et la mer, où un destroyer amarré au large s'ornait de guirlandes d'ampoules allumées.

— Tiens, le roi doit être arrivé, pour qu'il y ait un navire de guerre illuminé, remarqua le pianiste.

Plus loin, de grands bateaux blancs attendaient minuit pour lever l'ancre et partir pour Barcelone. Une sirène mugit.

— C'est beau, n'est-ce pas ?

Marine acquiesça. Elle avait posé sa tête sur l'épaule de Jean et savourait en silence ces quelques heures de bonheur qui lui étaient accordées. Demain, il serait temps pour les larmes. Ce soir, elle se voulait heureuse.

Doucement, l'arrachant à sa contemplation, il la dirigea vers une petite porte. Il la poussa et fit passer la jeune fille devant lui. Elle ne put retenir un petit cri de plaisir. Elle se trouvait dans un bar fait de manière que chaque banquette formait un coin avec une table, isolant ainsi les uns des autres les clients. Une lumière feutrée, une musique douce et le velours rouge des sièges et des tentures en faisaient un endroit privilégié.

Derrière le bar, un homme élégant qui était en train de préparer un cocktail abandonna son shaker dès qu'il les vit entrer.

— Don Juan, dit-il en français, mais avec un fort accent anglais, quel plaisir de vous revoir ! Je pensais justement à vous ces jours-ci, et je me demandais si vous étiez arrivé.

Il regardait Marine. Elle le sentit surpris, mais, la correction britannique prenant le dessus, il se contenta de la saluer sans rien demander.

Tout en échangeant quelques mots aimables avec l'homme que Marine pensa être le patron du bar, Jean dirigeait la jeune fille vers un canapé qui tournait le dos aux autres sièges, les isolant complètement des clients élégants qui se trouvaient là, bavardant à voix basse.

Jean de Seize se tourna vers Marine. Des paillettes d'or scintillaient dans ses yeux bruns et un tendre sourire adoucissait l'austérité de son visage.

— Un « Tio pépé » ? lui demanda-t-il.

D'un seul coup elle fut transportée quelques jours auparavant quand, pour la première fois, il l'avait invitée à dîner.

L'émotion lui serra la gorge. Incapable de parler, elle acquiesça d'un sourire.

— Deux xérès, disait Jean.

Mais le quittant brusquement l'Anglais courait vers une petite estrade où se trouvait un micro.

— Excuse me, jeta-t-il à Don Juan... C'est l'heure !

Marine regardait sans comprendre. L'Anglais avait saisi le micro, et dans sa langue natale disait :

— Ici Radio Majorca... C'est Dick qui vous parle, de son bar.

Jean rit doucement de l'air étonné de la jeune fille.

— Il y a beaucoup de Britanniques à Majorque, expliqua-t-il. Alors, la radio fait une émission spéciale pour eux. Et ils ont trouvé plus amusant d'en confier l'animation à ce Dick, qui tient le bar le plus élégant de Palma et qui est connu de tous les Anglais habitant l'île. J'ai pensé que cela vous distrairait d'assister à son émission.

Au micro, Dick annonçait.

— Une grande nouvelle! Ce soir, nous avons parmi nous le célèbre virtuose, notre ami Jean de Seize. Une soirée à marquer d'une pierre blanche. En son honneur, je vous passe son dernier disque : des valses de Chopin.

Quelques clients s'étaient retournés vers la table de Jean et de Marine. Mais c'étaient des Anglais : immédiatement, voyant que le musicien était en compagnie d'une femme, ils détournèrent la tête et se contentèrent d'écouter s'égrener les notes mélancoliques qui chantaient un passé révolu.

— Ah! fit Jean ennuyé. Je n'avais pas prévu cela.

Marine posa sa main sur la sienne. Des larmes embuaient ses yeux, les rendant encore plus beaux.

— Je suis tellement, tellement heureuse de vous entendre et de vous avoir en même temps à côté de moi.

A son tour, le pianiste prit les petits doigts qui s'abandonnaient entre les siens. A voix basse, passionnée, il dit à nouveau :

— Je vous aime, Marine. Ne l'oubliez jamais. Quoi qu'il arrive...

Le dernier accord se tut. Au micro, l'Anglais disait :

— Ici Radio Majorca. Radio Dick. Vous venez d'entendre...

Un garçon déposa les deux xérès devant Marine et Jean. Celui-ci prit son verre, puis, hésitant, il risqua :

— Cela m'ennuie de troubler cette soirée, mais j'ai encore quelque chose à vous dire... Et puis, nous n'en parlerons plus. Je vais tâcher d'être bref. Je voudrais que vous me rendiez deux services, car il n'y a qu'à vous que je peux les demander.

Elle se tourna vers lui, surprise, mais tout en elle était acceptation et don.

— D'abord, dit-il, avec un léger sourire, je voudrais que vous adoptiez Yahn. Il est parti, mais je sais qu'il va rentrer, il rentre toujours. Il vous a aimée dès qu'il vous a vue.

A son tour, la jeune fille sourit. Si le service demandé n'était que cela...

— Moi aussi je l'aime ! Je vous le promets, Jean, il ne me quittera jamais !

A voix très très basse, de sorte qu'elle put croire qu'il ne l'avait pas entendue, elle ajouta :

— Nous vous attendrons tous les deux...

Le visage du pianiste était devenu très grave. Marine devina qu'il n'osait parler. Elle dit :

— Vous savez bien que vous pouvez me demander ce que vous voudrez, je le ferai.

— Voilà : au fond du couloir il y a une chambre qui est toujours fermée.

Marine l'interrompit. En rougissant de l'involontaire indiscrétion qu'elle avait commise, elle avoua :

— Je la connais.

Et, sans rien lui cacher, elle raconta ce qui s'était passé, et aussi, parce qu'elle voulait qu'il sache tout d'elle, ses suppositions et sa jalousie.

Le musicien murmura :

— Oui, c'est vrai ! Un matin, j'y suis allé en me disant qu'il fallait que je range tout cela... Et puis, je n'en ai pas eu le courage ; et je me suis enfui, il n'y a pas d'autre mot, en oubliant dans ma précipitation de la refermer à clé.

172

» Et justement, ce que je voudrais, Marine, c'est que vous fassiez ce que moi je suis trop lâche pour faire. Je voudrais qu'on brûle les vêtements d'Ulla et qu'on donne les meubles. Que si, un jour, je reviens ici, cette pièce soit vide comme si elle n'avait jamais été habitée. Magdalena vous aidera. Donnez-lui tout ce qu'elle voudra...

Marine, au fur et à mesure que Jean parlait, avait l'impression que son sang se figeait dans ses veines. Ce qu'il lui demandait était inhumain. Mais elle avait promis. Elle se força à prononcer les trois mots qu'il attendait :

— Je le ferai.

La musique de fond avait repris, douce, accompagnant les conversations.

Jean de Seize fit signe au serveur.

— Deux autres « Tio pépé », commanda-t-il.

Lentement, il leva son verre, ses yeux plongés dans ceux de la jeune fille.

— A vous, Marine !...

Il hésita, puis dit :

— A votre carrière !... A votre bonheur !...

Elle trempa ses lèvres dans le vin pour avoir la force de répondre :

— Mon bonheur, c'est vous, Jean.

— Vous avez dix-neuf ans, Marine... Toute la vie devant vous pour être heureuse. Plus tard, vous comprendrez que j'avais raison.

Elle secoua la tête :

— Non... jamais !

Doucement, avec une tendresse infinie, il reprit :

— Marine, peut-être finirai-je par oublier. Dans

quatre ans, dans cinq, je ne sais... Alors, si vous êtes toujours libre, je reviendrai vers vous.

C'était un espoir qu'il lui donnait. Mais c'était aussi un mensonge. Elle le savait. Il était persuadé de deux choses : que, lui, il ne pourrait jamais oublier son remords, et, que de toute façon, elle, dans tant d'années, l'aurait oublié, lui.

Mais elle savait aussi, et avec certitude, qu'elle l'aimait pour la vie et qu'elle ne l'oublierait jamais.

17

Lorsque le lendemain matin Marine se réveilla, il lui sembla, dans un demi-sommeil, que le monde avait changé... Y avait-il eu une guerre, une révolution ?

Puis, elle se souvint : ce n'était pas le monde qui avait changé, mais elle ; elle aimait Jean, et il l'aimait.

On aurait dit que le soleil qui passait à travers les rideaux était plus vif, plus chaud que d'habitude, que les cigales étaient plus bruyantes, les oiseaux plus mélodieux.

« Il » l'aimait... Cela seul comptait, elle ne voulait se souvenir de rien d'autre ; surtout de rien d'autre. Elle faisait un effort pour ne pas sortir complètement du sommeil afin de ne pas retrouver la face noire de son bonheur.

On frappait à sa porte. Sans ouvrir les yeux, elle cria :

— Entrez !...

Magdalena apparut en même temps qu'une bonne odeur de café au lait et de pain grillé.

— Buenos dias, senorita...

Il fallait bien que Marine se réveille, qu'elle quitte le rêve doré pour la réalité. Elle poussa un gros soupir d'enfant et s'assit sagement sur son lit.

La Majorquine posa sur ses genoux le plateau du petit déjeuner. Mais au lieu de son sourire habituel Magdalena avait un air grave, préoccupé.

Elle montra à la jeune fille une enveloppe placée près de la tasse de « cortado », le café au lait espagnol :

— Para vos...

Et elle se retira discrètement, pendant que, de ses doigts tremblants, la jeune fille prenait l'enveloppe et l'ouvrait.

Il y avait seulement quelques lignes :

« Je serai parti quand vous vous réveillerez. Je veux rester sur le souvenir d'hier soir... Comme je vous l'ai dit, je prends l'avion de midi pour Paris. Vous m'avez promis de ne pas venir à l'aérodrome, et je vous conjure de tenir cette promesse. Nous revoir ne servirait qu'à nous faire encore plus mal. Je resterai en France seulement vingt-quatre heures : le temps de régler définitivement mes affaires. Puis je partirai, sans doute pour l'Afrique, où j'ai des amis.

Adieu, mon amour. Je vous aime, et, parce que je vous aime, je vous demande de m'oublier.

Jean. »

La lettre tomba de la main de Marine. Elle repoussa le plateau, incapable d'avaler une bouchée ou même une goutte de café.

Comme un automate, la jeune fille se leva et se dirigea vers la salle d'eau. Elle n'avait plus qu'une idée : tenir les engagements qu'elle avait pris, et partir aussitôt après.

176

« Pourvu, pensa-t-elle, que Yahn ne mette pas encore dix jours à revenir ! »

Habiter cette maison où tout lui parlait de l'homme qu'elle aimait lui semblait au-dessus de ses forces.

Elle prit une douche très chaude, puis très froide. L'eau en coulant sur son corps lui faisait du bien et l'aidait à supporter sa douleur et à se supporter elle-même.

« En tout cas, se dit-elle, je vais immédiatement faire le plus pénible : vider la chambre d'Ulla... Si j'attends, je crois que je n'en aurai jamais le courage. »

Dès qu'elle eut passé un jean et un chemisier et noué ses cheveux dans le dos, la jeune fille se dirigea vers les communs. Elle avait besoin de Magdalena pour ce pénible travail.

La Majorquine était assise devant un grand bol de café en face de son mari. Ni l'un ni l'autre n'avait touché à la miche de pain posée sur la table, ni à la soubressade placée à côté. Tous deux semblaient consternés. Antonio commença :

— Don Juan...

Puis il s'arrêta, il ne trouvait pas les mots en espagnol pour exprimer son désarroi. Il fit signe à Magdalena de continuer.

La femme de charge expliqua à la jeune fille que ce matin même Don Juan leur avait dit qu'il était obligé de s'absenter très longtemps, pour des années sans doute ; peut-être même vendrait-il la « finca » — la propriété. Il leur avait demandé de rester, en attendant, pour la garder et l'entretenir. Bien sûr, ils avaient accepté.

Magdalena avait parlé tout d'un souffle. Elle

s'arrêta quelques secondes pour réfléchir afin de voir si elle n'oubliait rien, et puis elle reprit : Don Juan avait aussi dit que Dona Marine était ici chez elle, qu'elle y resterait autant qu'elle le voudrait et qu'ils devaient lui obéir comme à lui-même.

Antonio hochait sa grosse tête pour approuver ce que disait sa femme. En majorquin, il dit que c'était bien cela qu'avait demandé el senor, et que lui et sa femme feraient ce qu'il avait dit.

Les yeux bleu pâle, si bons, de Magdalena se posèrent sur Marine comme pour une interrogation ; mais elle se contenta de dire simplement :

— Don Juan muchos amable !

Marine se souvint que c'étaient les mots exacts qu'elle avait employés la première fois. « Don Juan est très bon. » Son cœur se serra. Mais elle ne voulait pas se laisser aller à l'émotion. Après, quand tout serait fini, elle pourrait pleurer, sangloter, hurler son désespoir. Mais maintenant il lui fallait faire ce qu'elle avait promis.

Elle se tourna vers Magdalena et lui dit qu'elles devaient vider à elles deux une chambre... Elle hésita, mais pensa qu'il valait mieux avouer une partie de la vérité que de laisser le couple se livrer à des suppositions ou chercher à savoir, en bavardant avec les uns et les autres.

Brièvement, elle expliqua que Don Juan avait été marié, mais qu'il avait perdu sa femme l'année dernière, qu'il partait pour oublier son deuil, et que c'était la chambre de celle-ci qu'il avait demandé qu'on range.

« Si... bien », murmura Magdalena, sans poser de questions ; son air triste parlait pour elle.

Mais Antonio, lui, marmonna une phrase en majorquin que la jeune fille ne comprit pas.

— Que dit-il ? demanda-t-elle à Magdalena.

Sa femme rougit, mais eut, en même temps, un sourire affectueux pour Marine.

— Il dit, traduisit-elle en espagnol, que ce n'est pas bon pour un homme de vivre seul et que Don Juan, au lieu de partir à l'étranger, ferait mieux de rester ici, où il est chez lui, et de vous épouser !

Jean de Seize avait mis la clé sur la porte avant de partir. Du seuil de la pièce interdite, les deux femmes regardaient la chambre sans oser y entrer, mues par une sorte de respect.

Puis Magdalena fit un signe de croix (prière pour la défunte ou pour conjurer le mauvais esprit ?) et y pénétra, suivie de Marine.

Avec sa dextérité et sa rapidité coutumière, la femme de charge commença à ranger les affaires éparses un peu partout. Sous ses mains actives la pièce perdait son aspect irréel, redevenait une chambre normale.

Marine lui avait dit que Don Juan avait demandé qu'on brûle les effets personnels de sa femme, mais que, si cela leur faisait plaisir, Antonio et elle pouvaient prendre pour eux tout le restant. Magdalena avait ouvert de grands yeux étonnés, puis avait regardé les meubles émerveillée. Elle avait joint les mains en signe d'admiration et de remerciement.

— Muchos bueno... Muchos gracias...

Et puis, à la manière espagnole, elle avait donné une tape affectueuse sur l'épaule de la jeune fille, en l'accompagnant d'un bon sourire. Il ne faisait pas l'ombre d'un doute que, sans le dire, elle pensait la même chose que son mari.

Cette chaude amitié réconforta un peu la jeune fille.

Draps et couvertures pliés, Magdalena s'attaquait maintenant aux placards. Marine pensa qu'il valait mieux que ce soit elle qui range les objets épars sur la coiffeuse. Avec cette subtilité que donne l'amour, elle était sûre que Jean aurait souffert que des mains étrangères touchent ces pots de crème, ces maquillages, ces parfums qu'avait si souvent tenus Ulla.

Elle allait s'asseoir devant le meuble pour le faire, lorsqu'un « Mraou » retentissant la fit se retourner.

Queue en point d'interrogation, son collier de petit lion en bataille, mais très digne, Yahn refit « Mraou » et, comme Marine se baissait pour le caresser, d'un bond taquin, esquivant sa main, il sauta sur la coiffeuse.

Contente de le voir rentrer, la jeune fille se dit qu'elle allait le prendre et l'enfermer dans sa chambre avant qu'il ne recommence une fugue.

« Ainsi, pensa-t-elle avec un soulagement mêlé de tristesse, je pourrai partir ce soir, demain au plus tard... »

Assis sans vergogne au milieu des fards, le chat ronronnait en frottant sa tête contre la main de son amie.

Au comble du ravissement, il envoyait nerveusement à droite et à gauche de grands coups de sa splendide queue en panache, balayant tout ce qui se trouvait sur son passage ; un léger mouchoir tomba par terre, en même temps qu'une enveloppe. Intriguée, Marine se baissa pour la ramasser. Elle lut : « Pour Jean. »

Effarée, tremblante d'émotion, la jeune fille regardait cette missive qui, lui semblait-il, venait de l'au-delà.

Seulement Ulla était encore bien vivante quand elle avait tracé cette suscription. Quels étaient ces derniers mots qu'elle avait écrits pour son mari, avant de partir? Que pouvait signifier cette lettre faite il y avait un an?

Que Jean de Seize ne l'ait pas trouvée n'avait rien d'étonnant. Il avait dit lui-même à Marine qu'il n'avait jamais eu le courage de retourner dans la chambre de sa femme après la mort de celle-ci. De plus, elle devait être à demi dissimulée par le petit mouchoir que le persan avait fait tomber en même temps que l'enveloppe, puisqu'elle avait échappé à Marine lorsque celle-ci était entrée dans la chambre.

Et, subitement, comme si quelqu'un le lui avait soufflé à l'oreille, Marine sut que Jean devait absolument lire cette lettre, avant de partir définitivement.

Quoi qu'elle contienne, quoi qu'elle dise, même si c'était encore pire que la réalité actuelle, il fallait qu'il l'ait, qu'il sache.

C'était aussi un devoir envers celle qui n'était plus.

Marine roulait à tombeau ouvert sur la route qui menait à l'aérodrome. Quand elle avait sauté, comme une folle, dans la Volvo, sa montre marquait 11 h 10. Elle n'avait même pas une heure devant elle pour arriver à l'aérodrome avant l'embarquement. Quarante kilomètres à parcourir, heureusement en partie sur autoroute, c'était tout à fait faisable, mais il y avait la traversée de Palma, qui allait demander du temps et la retarder.

Prise dans une file de voitures sur la grande avenue

qui borde le port, Marine sentait l'anxiété qui la gagnait. Elle avait l'impression qu'une main serrait sa gorge, l'étouffait. Si elle arrivait trop tard, elle n'aurait plus aucun moyen de joindre Jean. Elle ignorait où il descendait à Paris et où, ensuite, il avait l'intention de partir. L'Afrique, c'était vaste !

Les voitures n'avançaient pas, et la cathédrale — cette cathédrale qu'elle avait vue en premier, en arrivant à Palma — lui semblait toujours aussi loin... C'était pour la jeune fille un premier but : presque aussitôt après l'avoir dépassée s'amorçait l'autoroute qui menait vers l'aérodrome, situé à neuf kilomètres de Palma.

Enfin, les autos démarrèrent. La jeune fille eut un soupir de soulagement ; elle regarda la montre de la voiture : elle marquait midi moins vingt-cinq. Avec un peu de chance, elle arriverait à temps.

Au feu rouge du carrefour du boulevard Primo de Rivera, il y eut à nouveau un très long arrêt, le policier qui commandait la circulation faisant passer les voitures qui venaient en sens inverse.

Midi moins vingt et une, moins vingt, moins dix-neuf... La petite aiguille des minutes semblait tourner sur le cœur de Marine.

Enfin, ce fut à son tour de passer. Par chance, à partir de cet endroit, la circulation devenait plus fluide, permettant la vitesse.

Cent. Cent dix... cent vingt... cent trente... La Volvo avait atteint son maximum. Le pied sur l'accélérateur, Marine se demandait si elle arriverait à temps.

L'horloge de l'aérodrome marquait midi moins cinq quand elle stoppa devant celui-ci. Sans tenir compte du policier qui la sifflait et lui criait que le stationnement était interdit, qu'elle devait se rendre au parking, la jeune fille se rua dans l'aérodrome ; avoir un procès-verbal était bien le moindre de ses soucis.

Pend nt quelques secondes, elle se sentit perdue dans le brouhaha de l'aéroport. Une voix désincarnée appelait en espagnol les voyageurs pour Bruxelles. Des files de voyageurs attendaient devant les guichets le moment de faire enregistrer leurs bagages ; d'autres se dirigeaient vers le bar en attendant l'embarquement.

Marine s'adressa à une hôtesse de l'air qui passait :

— Le vol pour Paris, por favor ?

La jeune fille lui désigna la gauche :

— Vols internationaux...

Puis, elle regarda sa montre, et eut un petit sursaut :

— Dépêchez-vous, vous allez le manquer : on embarque !

En effet, la même voix désincarnée, qui emplissait le hall, annonçait, en français cette fois :

— Vol 414 pour Paris. Embarquement immédiat.

Bousculant les gens, Marine courait vers la grande porte qui donnait accès à la salle où les voyageurs attendaient le départ pour l'étranger.

Elle allait s'y engouffrer lorsque, de son guichet, un policier l'interpela :

— Votre billet et votre passeport, senorita...

Elle se tourna vers lui, haletante, la gorge serrée par l'inquiétude :

— Mais je ne m'embarque pas, je veux seulement joindre quelqu'un qui prend l'avion pour Paris, avant son départ.

De la tête, l'homme fit signe que non. Un de ses

collègues intervint et barra le passage à Marine, qui, sans tenir compte de ce qu'on venait de lui dire, tâchait d'entrer dans la salle.

En français, il lui dit :

— Mon collègue vient de vous expliquer que c'était interdit. Vous tenez à vous retrouver au commissariat, senorita ?

Marine tremblait de tous ses membres ; elle leva vers le carabinero des yeux chargés d'une telle angoisse que celui-ci la regarda, étonné.

— Je vous en supplie. Si je ne puis pas entrer, alors appelez M. Jean de Seize. J'ai un message urgent à lui transmettre, c'est très grave.

Le policier hésita quelques secondes, regarda à nouveau le visage bouleversé de la jeune fille :

— Restez là... Je vais voir ce que je peux faire !

Il entra dans la salle, et en ressortit presque aussitôt.

— Impossible... Tous les voyageurs sont montés dans l'avion. Celui-ci va décoller.

D'une voix désespérée Marine murmura :

— A une minute près !

Elle sentit ses jambes qui se dérobaient sous elle. Des larmes jaillirent de ses yeux. Elle retint un sanglot. Et puis elle se ressaisit. Il fallait qu'elle voit Jean. Il fallait qu'elle lui donne cette lettre. Tant que l'appareil n'aurait pas décollé, il y avait encore une chance ; elle supplia :

— Laissez-moi passer, me rendre dans l'avion. Il faut que je vois el senor de Seize, je suis sa secrétaire...

De la tête le policier fit « non ». Mais Marine le sentit ennuyé de ne pouvoir l'aider. Alors, elle affirma :

184

— C'est une question de vie ou de mort !

Elle redit en espagnol :

— Muerte... Muerte...

Un autre policier s'était approché du premier, regardant avec intérêt cette jeune fille blême, qui semblait prête à s'évanouir. Ils échangèrent un coup d'œil éloquent : elle était bien belle dans son désespoir, la petite senorita. Celui qui venait d'arriver murmura quelques mots en espagnol à son camarade, qui acquiesça.

Toute à son désespoir, Marine n'avait rien vu. Il lui semblait que le monde se disloquait, que la terre allait s'entrouvrir pour l'engloutir.

Une main qui, courtoisement mais fermement, la prenait par le bras, la rappela à elle. Hébétée, elle regardait sans comprendre le policier qui lui parlait.

Doucement, il la guidait vers un fauteuil, la faisait s'asseoir et répétait :

— Nous faisons l'impossible. Mon collègue vient de téléphoner à la tour de contrôle. On va prévenir le commandant de bord qu'il faut que el signor de Seize descende de l'avion. Qu'on le demande pour une chose très grave.

Il regarda sévèrement la jeune fille :

— C'est vraiment très grave, senorita ?

De la tête, n'ayant même plus la force de parler, elle fit signe que oui.

— Alors, dit le policier, espérons que l'avion ne s'est pas envolé, car il ne reviendra quand même pas pour un passager.

Dans un geste de protection il posa sa main sur l'épaule de la jeune fille.

— Courage, Senorita !

Maintenant, Marine attendait, partagée entre l'espoir et le désespoir.

Un garçon en veste blanche surgit à côté d'elle, tenant un plateau sur lequel était posée une tasse de café. En espagnol, il expliqua que c'était le carabinero qui lui avait dit de porter un café à la senorita.

Comme Marine lui tendait un billet, il refusa : c'était payé ! Ce geste, c'était toute la gentillesse majorquine, et il alla droit au cœur de la jeune fille.

Elle trempa ses lèvres dans le liquide chaud et parfumé. Il lui sembla que c'était un élixir de vie : le café très fort lui donnait un coup de fouet qui la ranimait.

Mais ce qui, plus que tout, la rendit à la réalité, ce fut de voir se découper devant la porte la haute silhouette de Jean.

Précédé par une hôtesse de l'air, le musicien arrivait à pas précipités dans la salle de départ, cherchant des yeux Marine.

Elle se leva et lui fit signe.

Il était près d'elle, angoissé, disant d'une voix inquiète :

— Mais qu'est-ce qui se passe... Qu'est-ce qui se passe ? Il faut que ce soit bien grave pour que vous soyez venue !

Il la regardait, décontenancé, désespéré :

— Et qu'est-ce qu'il peut y avoir de grave maintenant, puisque tout a été dit ?

Elle murmura :

— Jean, pardonnez-moi d'avoir failli à ma promesse et d'être venue... Mais je ne pouvais faire autrement.

Elle lui tendit la lettre.

— J'ai trouvé cela sur la coiffeuse d'Ulla. J'ai

186

pensé qu'il fallait absolument que vous la lisiez avant de partir.

Jean avait pris l'enveloppe : stupéfait, il la regardait, la retournait, n'osant pas l'ouvrir.

Autour d'eux, des voyageurs les observaient, pressentant un drame... Certains avaient dû reconnaître le célèbre pianiste.

— Ne restons pas ici, murmura Jean. De toute manière, mon avion est parti maintenant. Sortons.

Marine sentit que Don Juan faisait tout pour retarder le moment où il allait ouvrir cette enveloppe. A la fois elle lui brûlait les doigts et le terrorisait.

Ils traversèrent l'aérodrome, sans prêter attention à rien, dans un autre monde, et subitement Marine, terrifiée, devina la pensée de Jean :

« Pourvu que, dans cette lettre, Ulla ne lui annonce pas qu'elle va se suicider. »

Ils étaient montés dans la Volvo pour être seuls. Marine murmura :

— Je n'aurais peut-être pas dû vous l'apporter...

L'enveloppe dans sa main, il dit d'une voix rauque :

— Si... vous avez bien fait ! Cette lettre, quoi qu'elle comporte, contient la vérité. Si Ulla m'a écrit avant de partir, c'est qu'elle n'avait pas l'intention de revenir.

Ils se regardèrent en silence. Tous les deux pensaient la même chose.

Et puis le pianiste déchira l'enveloppe et commença à lire.

Follement anxieuse, Marine regardait son visage pour y découvrir ce que la lettre disait.

Mais, alors qu'elle s'attendait à y lire l'horreur, le remords, le désespoir, à sa profonde surprise c'étaient des sentiments contraires qu'elle voyait animer les traits de Jean. Ils exprimaient une surprise intense et... non, elle ne rêvait pas, cette figure pâle, pétrifiée par la peur, revivait, reprenait des couleurs.

Que se passait-il ?

Le pianiste tournait vers Marine un visage bouleversé :

— Lisez... vous pouvez... vous avez le droit.

Et comme elle hésitait, n'osant pas, ayant l'impression de commettre un sacrilège, il reprit :

— Lisez, Marine... Mais à haute voix, s'il vous plaît, que je sois bien sûr de ne pas rêver !

Alors, la jeune fille commença :

« *Jean, tu as eu parfaitement raison tout à l'heure. Oui, c'est vrai — et je t'en demande pardon —, je te trompe avec Don Domingo... J'ai cru être amoureuse de toi, mais c'était une erreur. Aujourd'hui, je sais que c'est lui qui est l'homme que j'aime. Il est très riche, bien plus que toi, et il fera de moi une femme comblée. Avec lui, je n'aurai plus à supporter ces interminables heures de piano qui me rendent folle ! Quand tu liras cette lettre je serai près de lui, car je vais le rejoindre. Il m'attend. Adieu.* »

Ainsi Ulla n'était pas partie, comme l'avait cru Jean, à cause de la colère de celui-ci. Elle ne fuyait pas la fureur de son mari. Elle allait rejoindre l' « autre ». Et c'est en courant vers lui qu'elle s'était tuée.

Marine balbutia :

— Jean... mais alors vous n'êtes pas responsable.

Un immense espoir se levait en elle comme l'aube d'un jour magnifique.

Jean de Seize ne lui répondit pas. Il venait de mettre le moteur de la voiture en marche.

— C'est à la maison que je vous dirai ce que je ressens ; à la maison seulement...

En sens inverse, la jeune fille refaisait ce chemin qui, une heure auparavant, lui avait paru infernal et qui maintenant, lui semblait la mener vers le paradis.

A peine eut-il arrêté l'auto que, prenant Marine par la main, Jean l'entraîna en courant vers le salon.

Elle le suivait, ne pouvant, ne voulant échapper à cette main qui la tenait si fermement, si tendrement, mais ne comprenant pas.

Le musicien s'était arrêté devant le grand piano. Lâchant enfin Marine, il se pencha, souleva le couvercle. Son visage resplendissait de bonheur.

Se tournant vers la jeune fille, il lui dit simplement :

— Avec moi Marine.

Elle comprit, et s'assit à côté de lui ; tous deux merveilleusement unis, ils jouèrent la valse pour quatre mains de Chopin et ensemble ils communièrent dans la musique retrouvée.

Le dernier accord résonnait encore dans la pièce quand Jean prit Marine dans ses bras.

Elle s'y laissa aller, en sachant que cette fois-ci elle n'avait plus rien à craindre, car il disait :

— Mon amour... pour la vie... pour toujours !

Et le baiser qui les liait l'un à l'autre fut, cette fois-ci, celui de leurs fiançailles.

Achevé d'imprimer
le 30 avril 1980
sur les presses de
Métropole Litho Inc.
Anjou, Québec - H1J 1N4